상위권으로 가는 문제 해결 연산 학습지

응용연산

P2

7~8세

100까지의 수에서
더하기 빼기 1, 2, 10과 20

Creative to Math
씨투엠

응용연산 : 상위권으로 가는 문제해결 연산 학습지

요즘 아이들은 초등학교 입학 전에 연산 문제집 한 권 정도는 풀어본 경험이 있습니다. 어릴 때부터 연산 문제를 많이 풀었기 때문에 아이들은 아직 학교에서 배우지 않은 계산 문제를 슥슥 풀어서 부모님들을 흐뭇하게 만들기도 합니다. 그런데 아이들의 연산 능력은 날로 높아지지만 수학 실력은 과거에 비해 그다지 늘지 않은 것 같습니다. 사실 진짜 수학 실력은 연산 문제나 사고력 수학 문제를 주로 푸는 초등 저학년 때는 잘 드러나지 않습니다. 응용 문제를 본격적으로 풀기 시작하는 초등 3, 4학년이 되어서야 아이의 수학 실력을 판별할 수 있습니다.

초등 수학에서 연산이 가장 중요한 것은 부정할 수 없는 사실입니다. 중학생, 고등학생이 되어서 부족한 연산 능력을 키우는 것은 거의 불가능합니다. 이러한 연산의 특수성 때문에 아이들은 어린 나이부터 연산을 반복적으로 연습하여 실력을 키우려고 합니다. 이렇게 열심히 연산을 공부하는데도 왜 어떤 아이들은 수학 문제를 잘 풀지 못하는 것일까요? 그 이유는 현재 연산 학습의 목적이 단지 '계산을 잘 하는 것'이 되어버렸기 때문입니다. 연산은 연산 자체가 목적이 될 수 없으며 수학의 진짜 목표인 문제를 잘 풀기 위한 수단으로 연산을 학습해야 합니다.

과거 초등 수학 교과서의 연산 단원은 ① 원리와 연습 ② 문장제 활용의 단순한 구성이었습니다만 요즘의 교과서는 많이 달라졌습니다. 원리와 연습은 그대로이거나 조금 줄었지만 연산을 응용하는 방식은 좀 더 다양해졌습니다. 계산 능력의 향상만을 꾀하는 것이 아니라 여러 가지 퍼즐이나 수학적 상황 등을 해결할 수 있는 '응용력'에 초점을 맞추고 있다는 것을 보여주는 변화입니다. 따라서 저희는 연산 학습지도 원리나 연습 위주에서 벗어나 실제 문제를 해결할 수 있는 능력에 포인트를 맞추어야 한다고 생각합니다.

'연산은 잘 하는데 수학 문제는 왜 못 풀까요?'에 대한 대답이자 대안으로 저희는 「응용연산」이라는 새로운 컨셉의 연산 학습지를 만들었습니다. 연산 원리를 이해하고 연습하는 것에 그치지 않고, 익힌 것을 활용하는 방법을 바로 보여줄 수 있어야 아이들이 수학 문제에 연산을 효과적으로 적용할 수 있습니다. 연습은 꼭 필요한 만큼만 하고, 더 중요한 응용 문제에 바로 도전함으로써 연산과 문제 해결이 단절되지 않게 하는 것이 「응용연산」에서 기대하는 가장 큰 목표입니다.

「응용연산」을 통해 아이들이 왜 연산을 해야 하는지 스스로 느낄 수 있을 것이라 자신합니다. 이제 연산은 '원리'나 '연습'이 아닌 스스로 문제를 해결할 수 있는 '응용력'입니다.

응용연산의 구성과 특징

- 매일 부담없이 4쪽씩 연산 학습
- 매주 4일간 단계별 연산 학습과 응용 문제를 통한 연산 실력 확인
- 매주 1일 형성평가로 테스트 및 복습

주차별 구성

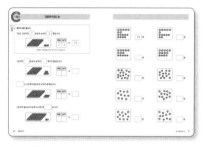

원리연산
대표 문제를 통해 학습하는 매일 새로운 단계별 연산 학습

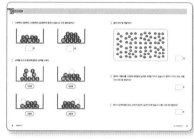

응용연산
기본 문제와 응용 문제를 통한 응용력과 문제해결력 증진

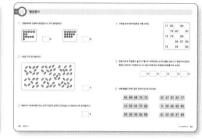

형성평가
가장 중요한 유형을 다시 한번 복습하며 주차 학습 마무리

정답 및 해설

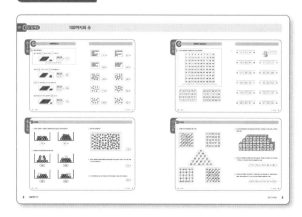

문제와 답을 한눈에 볼 수 있습니다.

이 책의 차례

1주차

100까지의 수

100까지의 수 세기, 순서, 크기 비교

100까지의 수

개념
원리

몇인지 세어 봅시다.

73은 10개씩 7 묶음과 낱개가 3 개입니다.

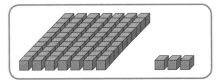

묶음	낱개
7	3

➡ 73

10개씩 7묶음과 낱개가 3개이면 73개입니다.

10개씩 ☐ 묶음과 낱개가 ☐ 개이면 65입니다.

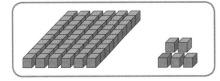

묶음	낱개

☐ 은 10개씩 8묶음과 낱개가 6개입니다.

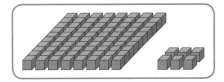

묶음	낱개

10개씩 9묶음과 낱개가 2개이면 ☐ 입니다.

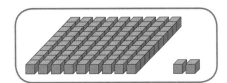

묶음	낱개

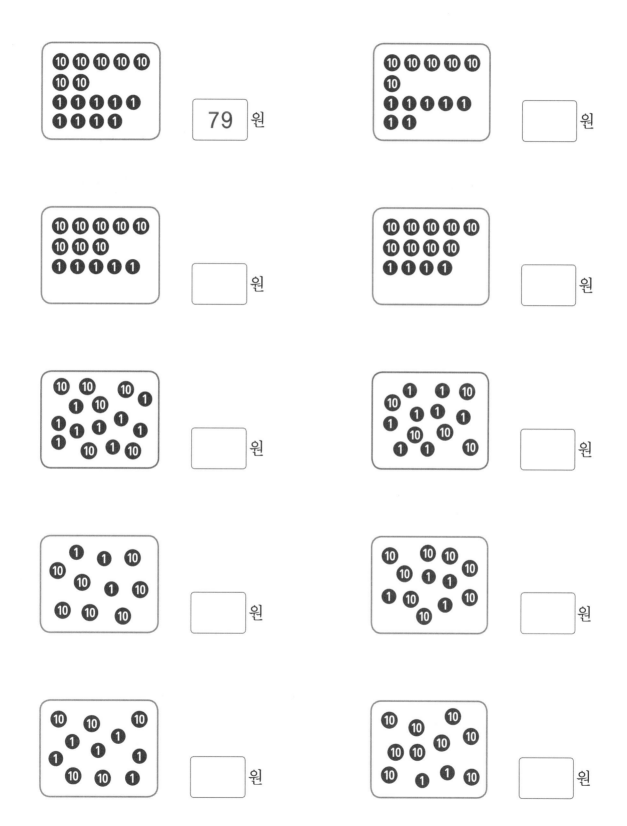

79 원

1 1원짜리, 5원짜리, 10원짜리, 50원짜리 동전이 있습니다. 모두 얼마일까요?

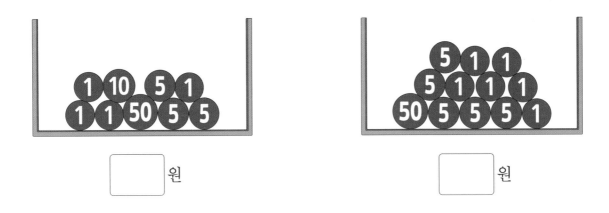

⬜ 원

⬜ 원

2 금액을 보고 빈 동전에 알맞은 금액을 쓰세요.

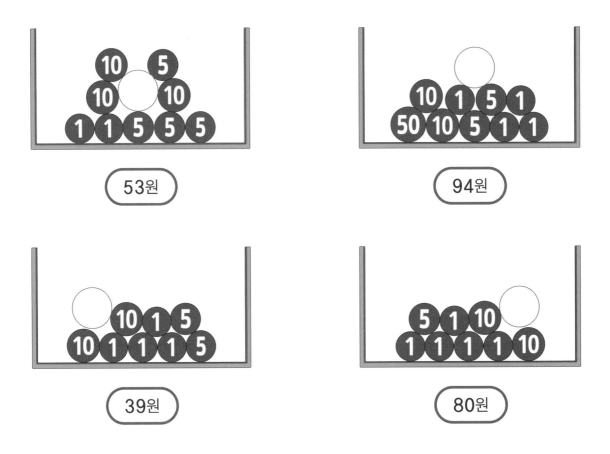

53원

94원

39원

80원

3 밤은 모두 몇 개일까요?

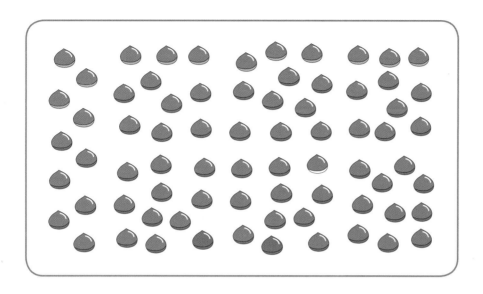

☐ 개

4 영주는 색종이를 **10**장씩 **5**묶음과 낱개로 **4**장을 가지고 있습니다. 영주가 가지고 있는 색종이는 모두 몇 장일까요?

☐ 장

5 배가 **10**개씩 들어 있는 상자가 **6**상자, 낱개가 **5**개 있습니다. 배는 모두 몇 개일까요?

☐ 개

100까지 수의 순서

개념
원리

1부터 100까지의 수 배열표입니다. 빈칸을 채워 봅시다.

1	2	3	4	5	6	7	8	9	10
11	12	13	14	15	16	17	18	19	20
21	22	23	24	25	26	27	28	29	30
31	32	33	34	35	36	37	38	39	40
	42	43	44	45	46	47		49	50
51	52	53	54		56	57	58	59	60
61		63	64	65	66	67	68	69	
	72	73		75	76	77	78	79	80
81	82	83	84	85		87	88	89	90
91	92		94	95	96	97	98		100

오른쪽으로 갈수록 일의 자리 숫자가 1씩 커지고 아래쪽으로 갈수록 십의 자리 숫자가 1씩 커집니다.

	43		45		
52		54		56	57
	63		65		
	73				

65		67	68		
	76				80
85			88		
		97		99	

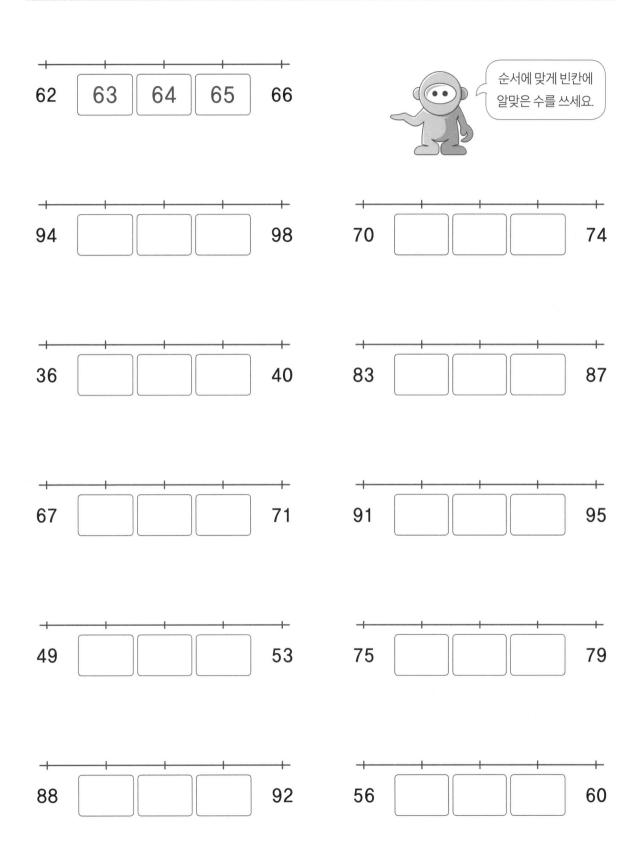

62 | 63 | 64 | 65 | 66

순서에 맞게 빈칸에 알맞은 수를 쓰세요.

94 | | | | 98

70 | | | | 74

36 | | | | 40

83 | | | | 87

67 | | | | 71

91 | | | | 95

49 | | | | 53

75 | | | | 79

88 | | | | 92

56 | | | | 60

1 규칙을 찾아 빈칸에 알맞은 수를 쓰세요.

11	12	14	17	21
13	15	18	22	
16	19		27	
	24	28		33
25	29		34	

31		33		35
46	47		49	
	54	55		37
44	53		51	
43		41		39

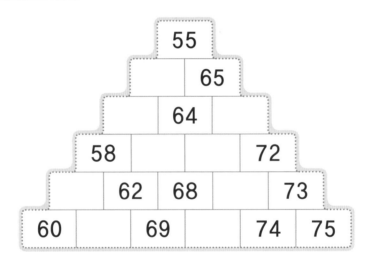

55	64		74	
56		66		76
	62		72	77
58		68	71	
59	60			79

60	62		69	
	64	68		78
63	67		77	
		76	80	83
70		79		84

2 창고에 상자를 번호대로 쌓아 두었는데 상자의 번호가 지워졌습니다. 번호가 없는 상자에 번호를 쓰세요.

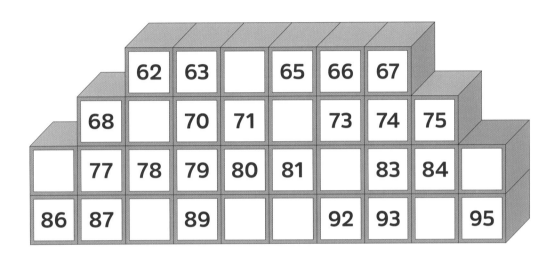

3 영진이네 가족 5명이 농구장에 나란히 앉아 있습니다. 가족들의 좌석 번호 중 가장 작은 번호가 77번입니다. 영진이네 가족의 좌석 번호를 모두 쓰세요.

◻ 번, ◻ 번, ◻ 번, ◻ 번, ◻ 번

4 희철이네 반 학생들은 강당에 들어가기 위해 번호 순으로 줄을 섰습니다. 희철이의 번호는 48번, 정호는 54번입니다. 두 사람 사이에 있는 학생들의 번호를 모두 쓰세요.

◻ 번, ◻ 번, ◻ 번, ◻ 번, ◻ 번

2씩, 20씩 앞으로 세기

개념
원리

2씩 또는 20씩 앞으로 세어 봅시다.

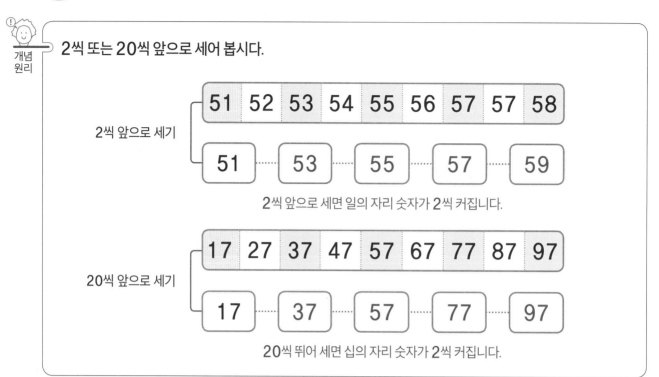

2씩 앞으로 세기

| 51 | 52 | 53 | 54 | 55 | 56 | 57 | 57 | 58 |

| 51 | 53 | 55 | 57 | 59 |

2씩 앞으로 세면 일의 자리 숫자가 2씩 커집니다.

20씩 앞으로 세기

| 17 | 27 | 37 | 47 | 57 | 67 | 77 | 87 | 97 |

| 17 | 37 | 57 | 77 | 97 |

20씩 뛰어 세면 십의 자리 숫자가 2씩 커집니다.

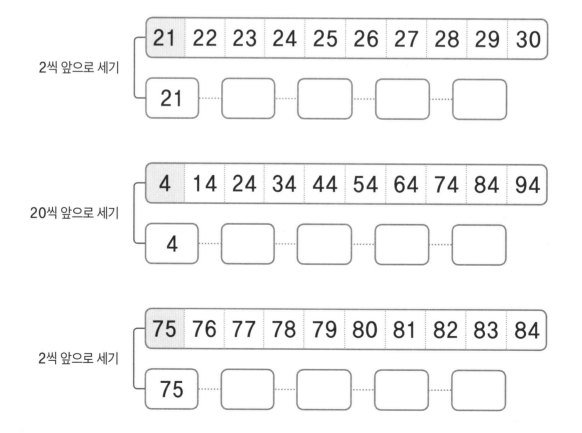

2씩 앞으로 세기

| 21 | 22 | 23 | 24 | 25 | 26 | 27 | 28 | 29 | 30 |

| 21 | | | | |

20씩 앞으로 세기

| 4 | 14 | 24 | 34 | 44 | 54 | 64 | 74 | 84 | 94 |

| 4 | | | | |

2씩 앞으로 세기

| 75 | 76 | 77 | 78 | 79 | 80 | 81 | 82 | 83 | 84 |

| 75 | | | | |

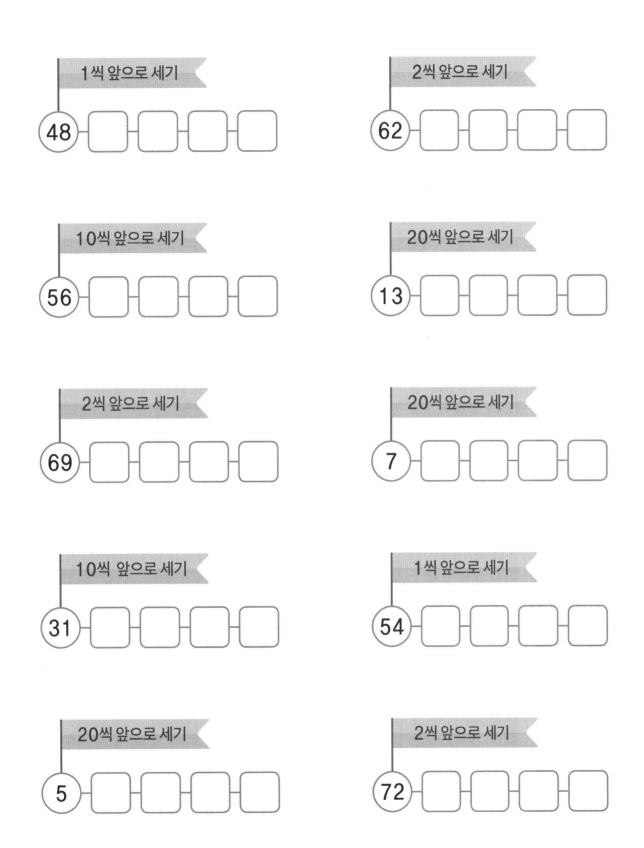

1씩 앞으로 세기

48

2씩 앞으로 세기

62

10씩 앞으로 세기

56

20씩 앞으로 세기

13

2씩 앞으로 세기

69

20씩 앞으로 세기

7

10씩 앞으로 세기

31

1씩 앞으로 세기

54

20씩 앞으로 세기

5

2씩 앞으로 세기

72

1 ◐ 안의 수부터 2씩 또는 20씩 앞으로 세어 차례로 선으로 이으세요.

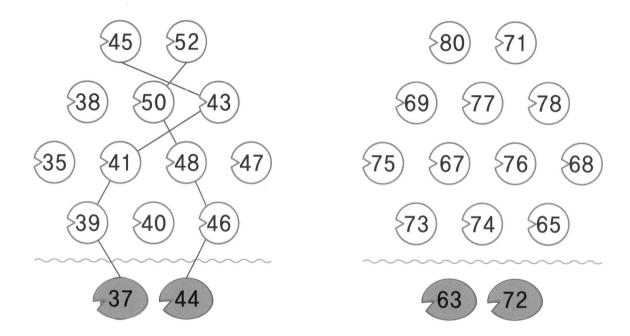

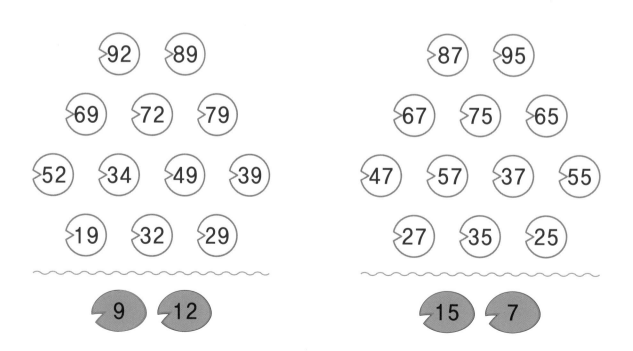

2 수를 배열한 규칙이 같은 것끼리 선으로 이으세요.

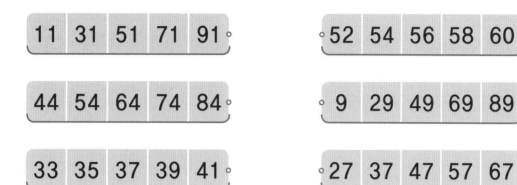

| 11 | 31 | 51 | 71 | 91 |

| 52 | 54 | 56 | 58 | 60 |

| 44 | 54 | 64 | 74 | 84 |

| 9 | 29 | 49 | 69 | 89 |

| 33 | 35 | 37 | 39 | 41 |

| 27 | 37 | 47 | 57 | 67 |

3 다음은 같은 수만큼 뛰어 세기를 한 것입니다. 빈칸에 알맞은 수를 쓰세요.

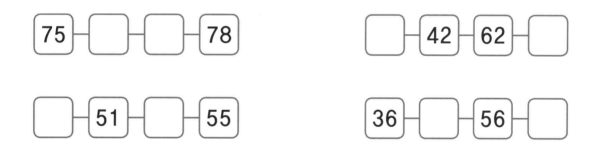

75 — ☐ — ☐ — 78

☐ — 42 — 62 — ☐

☐ — 51 — ☐ — 55

36 — ☐ — 56 — ☐

4 민호는 구슬 56개를 가지고 있습니다. 앞으로 6일 동안 매일 2개씩 모은다면 모두 몇 개가 될까요?

56 — ☐ — ☐ — ☐ — ☐ — ☐ — ☐   ☐ 개

2 큰 수, 20 큰 수

개념
원리

수 배열표에서 구하는 수에 ◯표 하고, 2 큰 수, 20 큰 수를 구해 봅시다.

31	32	33	34	35
41	42	⬤43	44	㊺
51	52	53	54	55
61	62	㊻	64	65

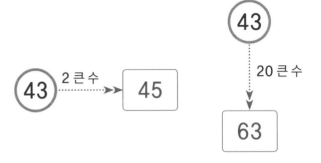

수 배열표에서 2 큰 수는 오른쪽으로 2번째 수, 20 큰 수는 아래쪽으로 2번째 수입니다.

55	56	57	58	59
65	⬤66	67	68	69
75	76	77	78	79
85	86	87	88	89

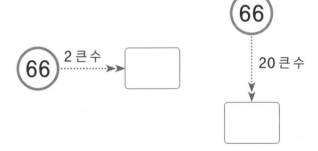

43	44	45	46	47
53	54	⬤55	56	57
63	64	65	66	67
73	74	75	76	77

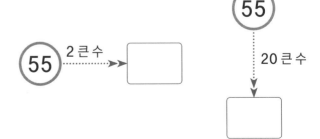

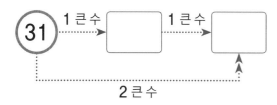

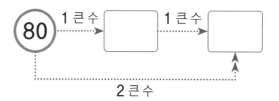

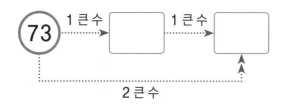

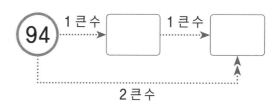

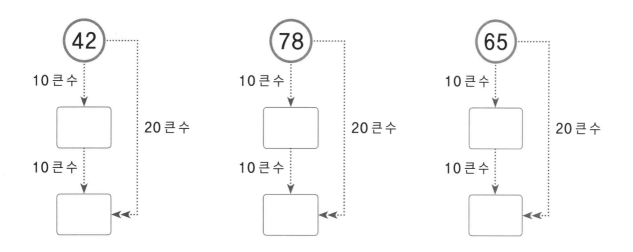

1 ●의 수보다 2 큰 수에 ○표, 20 큰 수에 □표 하고 선으로 연결하세요.

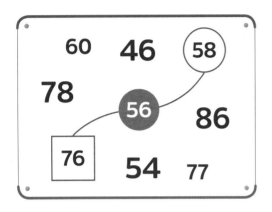

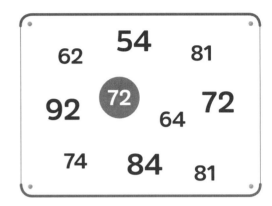

2 화살표 규칙을 찾아 □ 안에 알맞은 수를 쓰세요.

⑮ ➡ ⑰ ↱ ㉛ ➡ ㊴ ↱ ㊴ ➡ [ ] ↱ [ ] ➡ ⑧③

29 ➡ 31 ↱ 51 ➡ 53 ↱ 73 ➡ [ ] ↱ [ ] ➡ 97

3 안에 알맞은 두 수를 찾아 모두 ○표 하세요.

59보다 2 큰 수는 [　], 20 큰 수는 [　]입니다.

> 59　60　61　49　69　79

[　]보다 2 큰 수는 74, 20 큰 수는 [　]입니다.

> 72　73　74　92　93　94

[　]보다 2 큰 수는 [　], 20 큰 수는 90입니다.

> 68　70　72　74　88　92

4 준희와 민주의 대기 번호를 구하세요.

내 번호는
69번이야.

정호

내 번호는 정호의 번호보다
2 큰 수야.

준희

내 번호는 정호의 번호보다
20 큰 수야.

민주

준희의 대기 번호: [　] 번　　　민주의 대기 번호: [　] 번

1 10원짜리와 1원짜리 동전입니다. 모두 얼마일까요?

□ 원   □ 원

2 사탕은 모두 몇 개일까요?

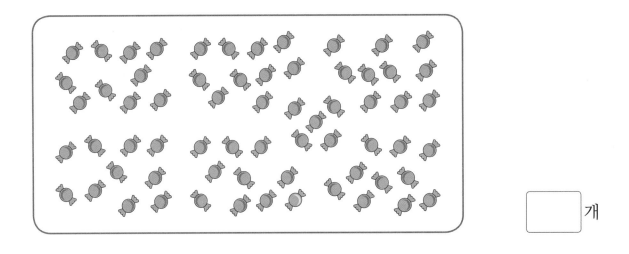

□ 개

3 복숭아가 10개씩 들어 있는 상자가 8상자, 낱개가 2개 있습니다. 복숭아는 모두 몇 개일까요?

□ 개

4　규칙을 찾아 빈칸에 알맞은 수를 쓰세요.

71	80		90	
	79	82		92
73	78		88	
		84	87	94
75		85		95

5　영준이네 반 학생들이 놀이기구를 타기 위해 번호 순으로 줄을 섰습니다. 영준이의 번호는 **68**번, 은성이는 **74**번입니다. 두 사람 사이에 있는 학생들의 번호를 모두 쓰세요.

☐ 번, ☐ 번, ☐ 번, ☐ 번, ☐ 번

6　수를 배열한 규칙이 같은 것끼리 선으로 이으세요.

| 64 | 66 | 68 | 70 | 72 |

| 37 | 47 | 57 | 67 | 77 |

| 12 | 32 | 52 | 72 | 92 |

| 5 | 25 | 45 | 65 | 85 |

| 26 | 36 | 46 | 56 | 66 |

| 41 | 43 | 45 | 47 | 49 |

7 ●의 수보다 2 큰 수에 ○표, 20 큰 수에 □표 하고 선으로 연결하세요.

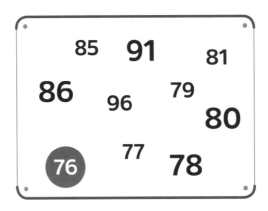

8 정은이는 우표 12장을 가지고 있습니다. 앞으로 4일 동안 매일 20장씩 모은다면 모두 몇 장이 될까요?

12 ─ ☐ ─ ☐ ─ ☐ ─ ☐   ☐ 장

9 수영이가 공연장에 앉아 있습니다. 수영이의 좌석 번호는 몇 번일까요?

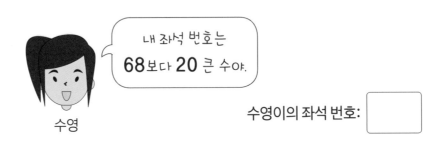

내 좌석 번호는 68보다 20 큰 수야.

수영

수영이의 좌석 번호: ☐

덧셈하기

더하는 수가 1, 2, 10, 20인 덧셈

더하기 1, 2, 10, 20

개념
원리

그림을 보고 덧셈을 해 봅시다.

46 + 20 = 66

46+20의 계산 결과는 46보다 20 큰 수와 같습니다.

72   1 큰 수

[ ] + 1 = [ ]

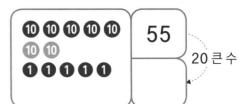

55   20 큰 수

[ ] + 20 = [ ]

74   10 큰 수

[ ] + 10 = [ ]

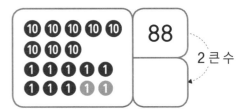

88   2 큰 수

[ ] + 2 = [ ]

62   2 큰 수

[ ] + 2 = [ ]

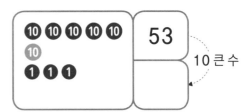

53   10 큰 수

[ ] + 10 = [ ]

74 + 2 = ☐   67 + 20 = ☐   45 + 1 = ☐

54 + 10 = ☐   28 + 2 = ☐   37 + 20 = ☐

72 + 20 = ☐   69 + 1 = ☐   51 + 10 = ☐

59 + 2 = ☐   36 + 10 = ☐   84 + 2 = ☐

```
   7 0          5 9          6 8
 + 2 0        +   1        +   2
 _____       _____       _____
  ☐            ☐            ☐
```

```
   3 9          8 9          5 6
 +   2        + 1 0        + 2 0
 _____       _____       _____
  ☐            ☐            ☐
```

1 계산한 다음 선으로 이으세요.

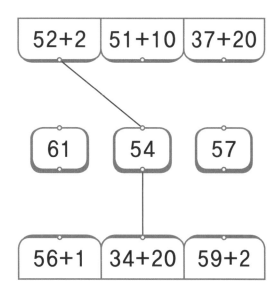

52+2	51+10	37+20

61	54	57

56+1	34+20	59+2

46+20	74+1	76+10

86	75	66

73+2	56+10	85+1

73+10	79+1	68+20

80	88	83

63+20	70+10	86+2

58+10	52+20	63+1

64	68	72

62+10	67+1	62+2

2 문제와 식에 맞게 선으로 연결하고 ☐ 안에 알맞은 수를 쓰세요.

티셔츠가 64벌, 바지가 10벌 있습니다.	동물은 모두 몇 마리일까요?	$48 + 20 = \boxed{}$
복숭아가 48개, 오렌지가 20개 있습니다.	옷은 모두 몇 벌일까요?	$64 + 10 = \boxed{}$
너구리가 55마리, 사자가 2마리 있습니다.	과일은 모두 몇 개일까요?	$55 + 2 = \boxed{}$

3 제과점에서 식빵을 오전에 58개, 오후에 20개를 구웠습니다. 제과점에서 오전과 오후에 구운 식빵은 모두 몇 개일까요?

식 $\boxed{} + \boxed{} = \boxed{}$ 답 $\boxed{}$ 개

4 우리 학교 학생은 96명입니다. 오늘 학생 2명이 전학을 왔습니다. 우리 학교 학생은 모두 몇 명일까요?

식 $\boxed{} + \boxed{} = \boxed{}$ 답 $\boxed{}$ 명

바꾸어 더하기

개념
원리

두 수를 바꾸어 더해 봅시다.

⑩ ⑩ ⑩ ⑩ ❶ ❶ ❶ ❶ ❶   ⑩ ⑩

⑩ ⑩   ⑩ ⑩ ⑩ ⑩ ❶ ❶ ❶ ❶ ❶

$45 + 20 =$ $\boxed{65}$

$20 + 45 =$ $\boxed{65}$

두 수를 바꾸어 더해도 계산 결과는 같습니다.

$58 + 10 =$ ☐

$10 + 58 =$ ☐

$67 + 20 =$ ☐

$20 + 67 =$ ☐

$72 + 20 =$ ☐

$20 + 72 =$ ☐

$89 + 2 =$ ☐

$2 + 89 =$ ☐

$64 + 1 =$ ☐

$1 + 64 =$ ☐

$56 + 20 =$ ☐

$20 + 56 =$ ☐

$49 + 20 =$ ☐

$20 + 49 =$ ☐

$97 + 2 =$ ☐

$2 + 97 =$ ☐

$48 + 2 =$ ☐

$2 + 48 =$ ☐

$78 + 20 =$ ☐

$20 + 78 =$ ☐

$52 + 20 =$ ☐

$20 + 52 =$ ☐

$70 + 10 =$ ☐

$10 + 70 =$ ☐

$66 + 2 =$ ☐

$2 + 66 =$ ☐

$59 + 20 =$ ☐

$20 + 59 =$ ☐

$43 + 10 =$ ☐

$10 + 43 =$ ☐

$85 + 1 =$ ☐

$1 + 85 =$ ☐

$79 + 2 =$ ☐

$2 + 79 =$ ☐

$54 + 20 =$ ☐

$20 + 54 =$ ☐

1 가로, 세로로 두 수의 합에 맞게 빈칸에 알맞은 수를 쓰세요.

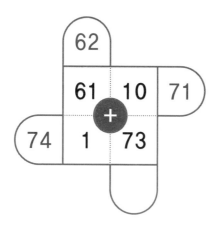

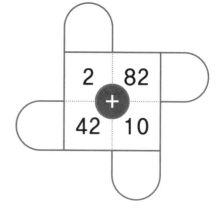

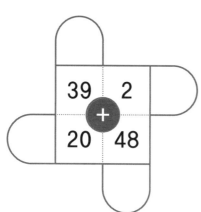

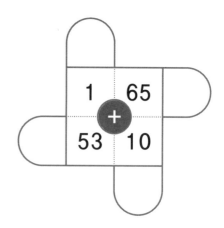

2 안쪽와 바깥쪽 수를 더해 ☐ 안에 알맞은 수를 쓰세요.

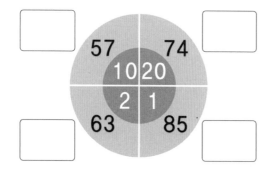

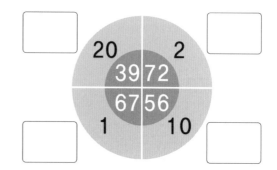

3 주어진 수를 이용하여 덧셈식 2개를 만드세요.

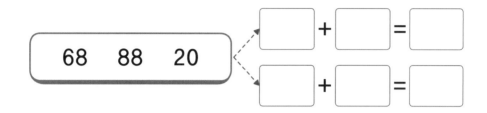

68   88   20

☐ + ☐ = ☐

☐ + ☐ = ☐

4 종호네 반의 남학생은 20명, 여학생은 21명입니다. 종호네 반의 학생 수는 모두 몇 명일까요?

식 ☐ + ☐ = ☐   답 ☐ 명

5 승희와 기주는 스티커를 모읍니다. 승희는 10장을 가지고 있고, 기주는 승희보다 42장을 더 가지고 있습니다. 기주가 가진 스티커는 몇 장일까요?

식 ☐ + ☐ = ☐   답 ☐ 장

□가 있는 더하기

개념
원리

□ 안에 ⑩ 또는 ❶을 알맞게 그리고 □ 안에 수를 구해 봅시다.

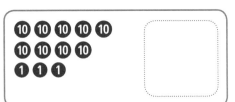

$54 + \boxed{20} = 74$

54에 20을 더하면 74가 됩니다.

$78 + \boxed{} = 88$

$93 + \boxed{} = 94$

$29 + \boxed{} = 49$

$56 + \boxed{} = 58$

$63 + \boxed{} = 73$

$47 + \boxed{} = 48$

$53 + \boxed{} = 55$　　$\boxed{} + 20 = 92$　　$96 + \boxed{} = 97$

$24 + \boxed{} = 25$　　$\boxed{} + 10 = 56$　　$68 + \boxed{} = 78$

$85 + \boxed{} = 95$　　$\boxed{} + 2 = 39$　　$51 + \boxed{} = 71$

$49 + \boxed{} = 69$　　$\boxed{} + 1 = 63$　　$14 + \boxed{} = 16$

```
    4 5          6 7          3 4
+ □□         + □□         + □□
─────        ─────        ─────
    5 5          6 9          5 4
```

```
  □□          □□          □□
+     2       +   2 0       +   1 0
─────        ─────        ─────
    6 0          8 3          8 9
```

1 빈칸에 알맞은 수를 쓰세요.

62 —+10→ 72 —+ 2 → 74

75 —+ ☐ → 95 —+ ☐ → 96

49 —+ ☐ → ○ —+20→ 71

15 —+1→ ○ —+ ☐ → 36

2 ○ 안에 알맞은 수를 찾고 덧셈을 하여 빈칸을 채우세요.

+ (2)

41	43
73	75
66	68

+ ( )

75	95
	58
62	

+ ( )

	85
49	50
65	

+ ( )

87	
65	67
	55

+ ( )

	62
78	
56	76

+ ( )

45	55
67	
	91

3 관계있는 것끼리 연결하세요.

셔츠가 **44**벌 있습니다. 몇 벌을 더 사 왔더니 **64**벌이 되었습니다.

쿠키를 몇 개 구웠습니다. **20**개를 더 구웠더니 **55**개가 되었습니다.

동화책이 **85**권이 있습니다. 몇 권을 더 가져왔더니 **87**권이 되었습니다.

85+□=87

□=20

44+□=64

□=2

□+20=55

□=35

4 □의 값을 구하세요.

□에 **2**를 더했더니 **88**입니다. □는 얼마일까요?

□+2=88

59에 □을 더했더니 **79**입니다. □는 얼마일까요?

□에 **20**을 더했더니 **31**입니다. □는 얼마일까요?

세 수의 덧셈

개념
원리

세 수의 덧셈을 해 봅시다.

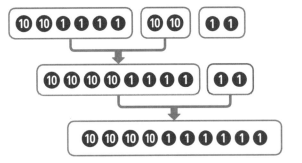

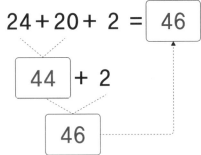

$24 + 20 + 2 = \boxed{46}$

$\boxed{44} + 2$

$\boxed{46}$

앞의 두 수 24와 20을 더한 값 44에 마지막 수 2를 더합니다.

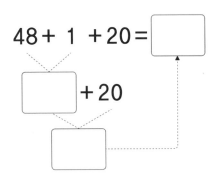

$48 + 1 + 20 = \boxed{}$

$\boxed{} + 20$

$65 + 2 + 20 = \boxed{}$

$\boxed{} + 20$

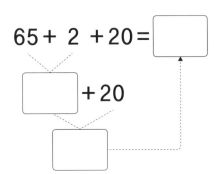

$73 + 10 + 2 = \boxed{}$

$\boxed{} + 2$

$36 + 20 + 2 = \boxed{}$

$\boxed{} + 2$

37 + 20 + 1 = ☐

52 + 2 + 10 = ☐

42 + 2 + 20 = ☐

64 + 10 + 2 = ☐

73 + 20 + 2 = ☐

81 + 1 + 10 = ☐

56 + 2 + 20 = ☐

45 + 20 + 2 = ☐

75 + 10 + 2 = ☐

68 + 1 + 10 = ☐

34 + 20 + 1 = ☐

70 + 20 + 1 = ☐

58 + 20 + 2 = ☐

37 + 1 + 20 = ☐

71 + 1 + 10 = ☐

43 + 10 + 1 = ☐

1 연결된 세 수의 합이 ☆ 안의 수가 되도록 삼각형을 그리세요.

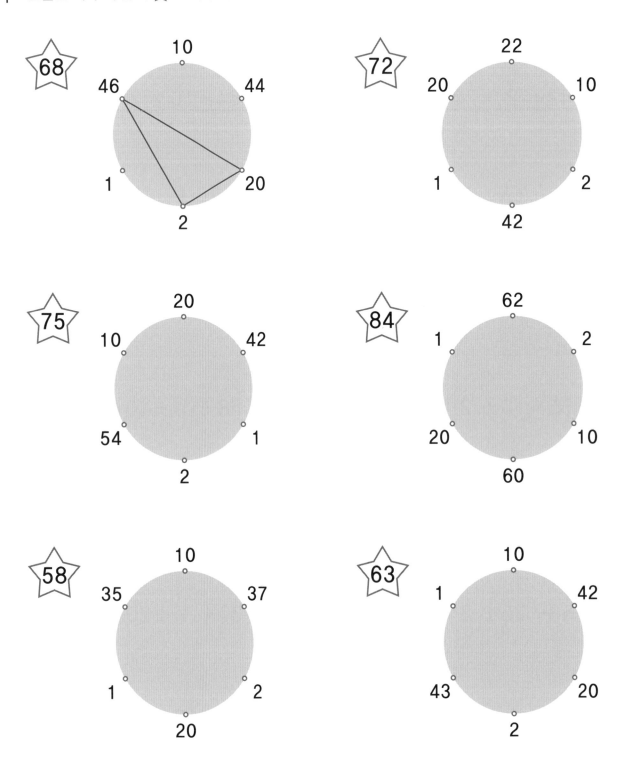

2 그림을 보고 물음에 맞게 식과 답을 쓰세요.

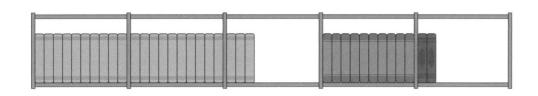

노란색 책과 연두색 책은 모두 몇 권일까요?

식 ☐ + ☐ = ☐   답 ☐ 권

노란색 책과 보라색 책은 모두 몇 권일까요?

식 ☐ + ☐ = ☐   답 ☐ 권

연두색 책과 보라색 책은 모두 몇 권일까요?

식 ☐ + ☐ = ☐   답 ☐ 권

책은 모두 몇 권일까요?

식 ☐ + ☐ + ☐ = ☐   답 ☐ 권

1 계산한 다음 선을 이으세요.

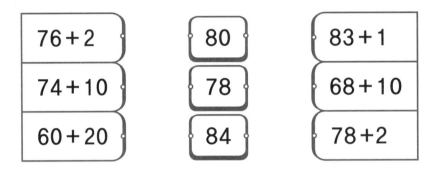

76 + 2		80		83 + 1
74 + 10		78		68 + 10
60 + 20		84		78 + 2

2 닭이 어제는 달걀을 63개, 오늘은 20개를 낳았습니다. 어제와 오늘 닭이 낳은 달걀은 모두 몇 개일까요?

식 ☐ + ☐ = ☐   답 ☐ 개

3 가로, 세로로 두 수의 합을 빈칸에 쓰세요.

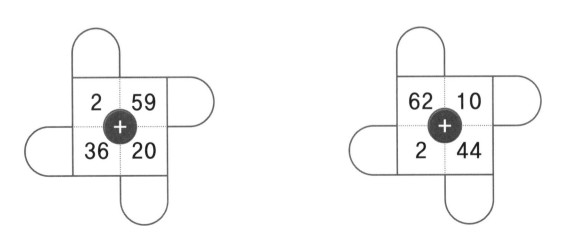

2	59
36	20

+

62	10
2	44

+

4   재영이와 현수는 도토리를 줍는데 재영이는 **53**개 주웠고, 현수는 재영이보다 **2**개 더 주웠습니다. 현수가 주운 도토리는 몇 개일까요?

식 [ ] + [ ] = [ ]   답 [ ] 개

5   ◯ 안에 알맞은 수를 찾고 덧셈을 하여 빈칸을 채우세요.

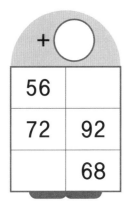

+ ◯	
56	
72	92
	68

+ ◯	
52	62
	94
63	

+ ◯	
	67
43	45
52	

6   [ ]에 **20**을 더했더니 **74**입니다. [ ]는 얼마일까요?   [ ]

7 덧셈을 하세요.

$63 + 20 + 1 =$ ☐ $58 + 2 + 20 =$ ☐

$47 + 2 + 10 =$ ☐ $36 + 20 + 2 =$ ☐

8 연결된 세 수의 합이 ☆ 안의 수가 되도록 삼각형을 그리세요.

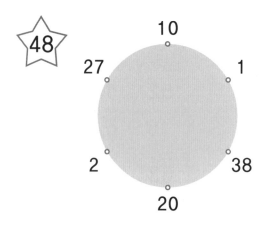

9 아이스크림이 녹차맛 36개, 딸기맛 2개, 초코맛 20개가 있습니다. 아이스크림은 모두 몇 개 일까요?

식 ☐ + ☐ + ☐ = ☐   답 ☐ 개

뺄셈하기

빼는 수가 1, 2, 10, 20인 뺄셈

3주차

거꾸로 세기

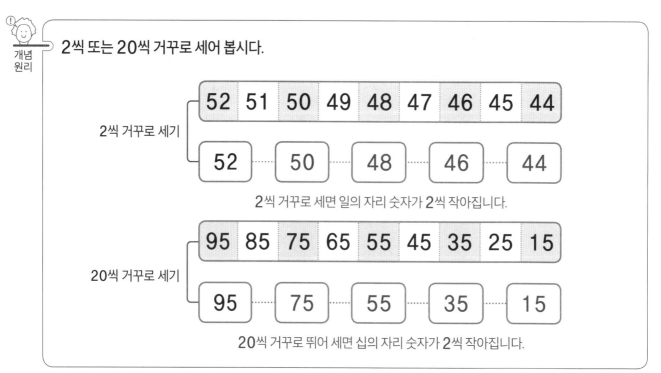

2씩 또는 20씩 거꾸로 세어 봅시다.

2씩 거꾸로 세기

| 52 | 51 | 50 | 49 | 48 | 47 | 46 | 45 | 44 |

| 52 | | 50 | | 48 | | 46 | | 44 |

2씩 거꾸로 세면 일의 자리 숫자가 2씩 작아집니다.

20씩 거꾸로 세기

| 95 | 85 | 75 | 65 | 55 | 45 | 35 | 25 | 15 |

| 95 | | 75 | | 55 | | 35 | | 15 |

20씩 거꾸로 뛰어 세면 십의 자리 숫자가 2씩 작아집니다.

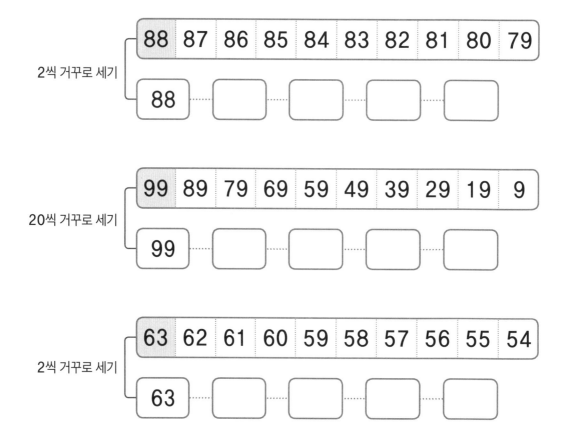

2씩 거꾸로 세기

| 88 | 87 | 86 | 85 | 84 | 83 | 82 | 81 | 80 | 79 |

| 88 | | | | |

20씩 거꾸로 세기

| 99 | 89 | 79 | 69 | 59 | 49 | 39 | 29 | 19 | 9 |

| 99 | | | | |

2씩 거꾸로 세기

| 63 | 62 | 61 | 60 | 59 | 58 | 57 | 56 | 55 | 54 |

| 63 | | | | |

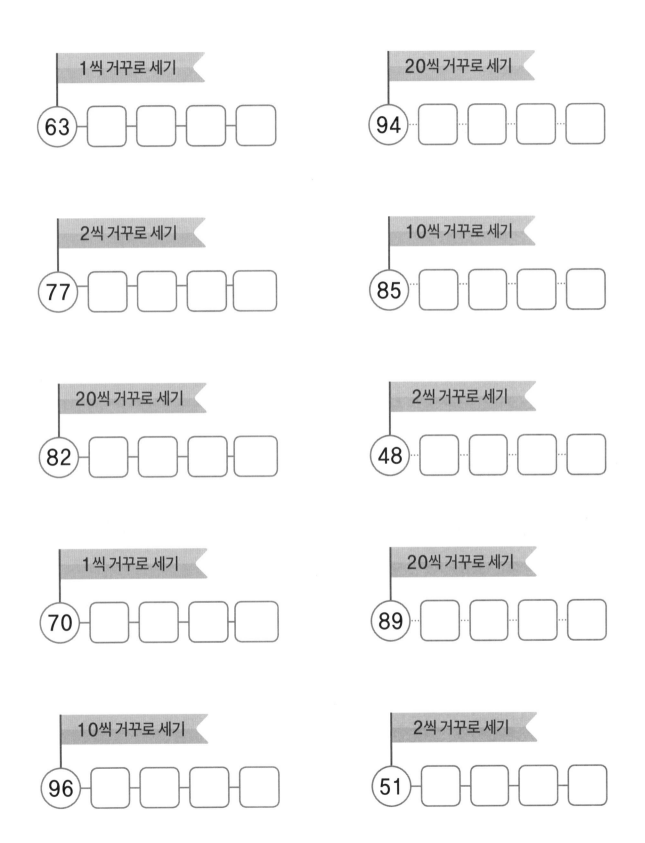

1씩 거꾸로 세기
63

20씩 거꾸로 세기
94

2씩 거꾸로 세기
77

10씩 거꾸로 세기
85

20씩 거꾸로 세기
82

2씩 거꾸로 세기
48

1씩 거꾸로 세기
70

20씩 거꾸로 세기
89

10씩 거꾸로 세기
96

2씩 거꾸로 세기
51

1 ⬤ 안의 수부터 2씩 또는 20씩 거꾸로 세어 차례로 선으로 이으세요.

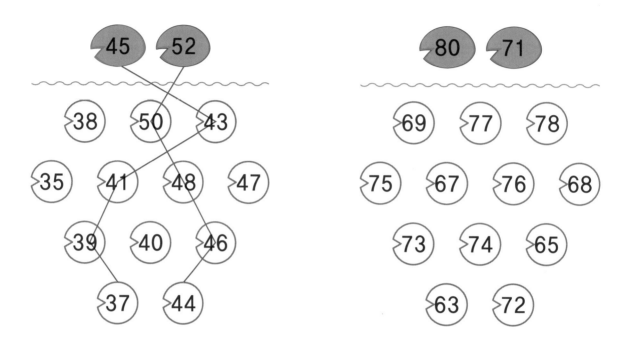

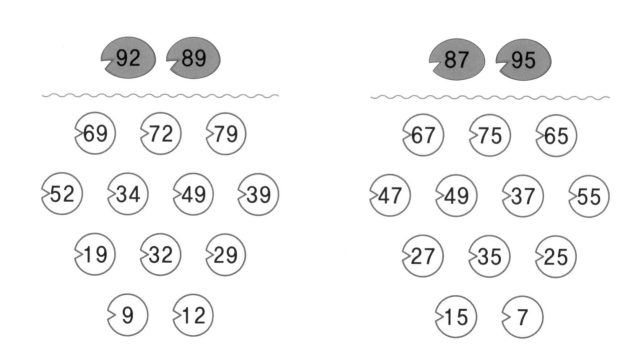

2 수를 배열한 규칙이 같은 것끼리 선으로 이으세요.

3 같은 수만큼 거꾸로 뛰어 세기를 한 것입니다. 빈칸에 알맞은 수를 쓰세요.

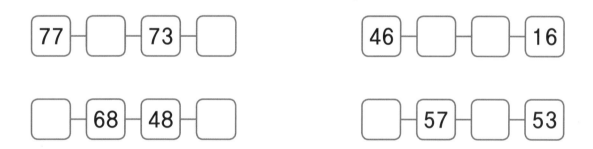

4 민진이는 사탕 63개를 가지고 있습니다. 앞으로 6일 동안 매일 2개씩 먹는다면 사탕은 몇 개 남을까요?

개

2 작은 수, 20 작은 수

개념
원리

수 배열표에서 구하는 수에 ◯표 하고, 2 작은 수, 20 작은 수를 구해 봅시다.

41	42	43	㊹	45
51	52	53	54	55
61	㊽	63	● 64	65
71	72	73	74	75

수 배열표에서 2 작은 수는 왼쪽으로 2번째 수, 20 작은 수는 위쪽으로 2번째 수입니다.

65	66	67	68	69
75	76	77	78	79
85	86	● 87	88	89
95	96	97	98	99

33	34	35	36	37
43	44	45	46	47
53	54	55	● 56	57
63	64	65	66	67

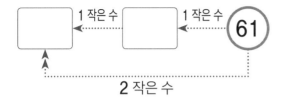

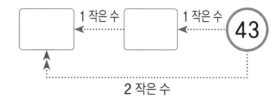

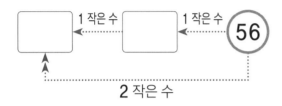

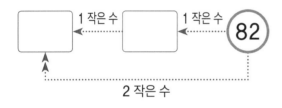

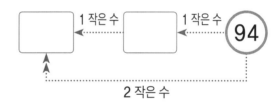

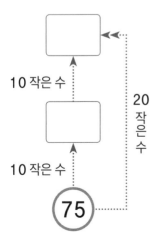

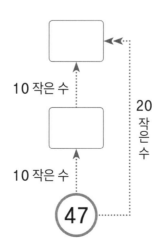

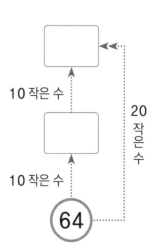

1 ●의 수보다 **2** 작은 수에 ○표, **20** 작은 수에 □표 하고 선으로 연결하세요.

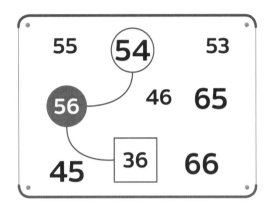

55   (54)   53
56   46   **65**
45 | 36 | **66**

74   62   **50**
(72)   **71**   52
73
70   69   **42**

68   44   **46**
43   47   45
(48)
28   **38**   58

33   34   **14**
32   (35)   13   **16**
25   **25**   15

2 화살표 규칙을 찾아 □ 안에 알맞은 수를 쓰세요.

(85) ➡ (83) ↻ (63) ➡ (61) ↻ (41) ➡ [ ] ↻ [ ] ➡ (17)

| 90 | ➡ | 88 | ↻ | 68 | ➡ | 66 | ↻ | 46 | ➡ | [ ] | ↻ | [ ] | ➡ | 22 |

3 다음 수 모형이 나타내는 수보다 **20** 작은 수는 얼마일까요?

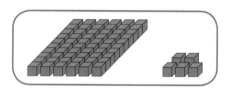

4 승호의 사물함 번호는 **89**번이고 정민이의 번호는 승호의 번호보다 **2** 작은 수입니다. 정민이의 번호는 몇 번일까요?

정민이의 사물함 번호: ⬚ 번

5 ⬚ 안에 알맞은 두 수를 찾아 모두 ◯표 하세요.

59보다 **2** 작은 수는 ⬚, **20** 작은 수는 ⬚입니다.

| 29 | 39 | 49 | 56 | 57 | 58 |

⬚보다 **2** 작은 수는 **74**, **20** 작은 수는 ⬚입니다.

| 54 | 55 | 56 | 74 | 75 | 76 |

빼기 1, 2, 10, 20

개념
원리

10 또는 **1**을 지우고 뺄셈을 해 봅시다.

$$57 - 20 = 37$$

20 작은 수

57 − 20의 계산 결과는 57보다 20 작은 수와 같습니다.

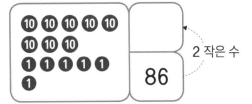

2 작은 수

86

$$\boxed{} - 2 = \boxed{}$$

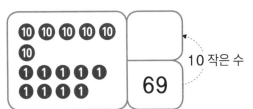

10 작은 수

69

$$\boxed{} - 10 = \boxed{}$$

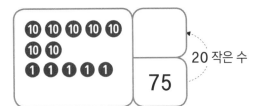

20 작은 수

75

$$\boxed{} - 20 = \boxed{}$$

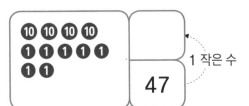

1 작은 수

47

$$\boxed{} - 1 = \boxed{}$$

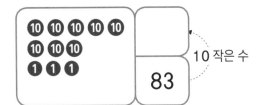

10 작은 수

83

$$\boxed{} - 10 = \boxed{}$$

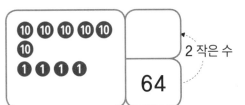

2 작은 수

64

$$\boxed{} - 2 = \boxed{}$$

68 − 2 = ☐   54 − 10 = ☐   76 − 20 = ☐

85 − 20 = ☐   73 − 2 = ☐   51 − 1 = ☐

59 − 1 = ☐   77 − 20 = ☐   43 − 2 = ☐

72 − 10 = ☐   88 − 1 = ☐   69 − 10 = ☐

$$\begin{array}{r} 4\ 1 \\ -\ 2\ 0 \\ \hline \end{array}$$
$$\begin{array}{r} 7\ 8 \\ -\ \ \ 2 \\ \hline \end{array}$$
$$\begin{array}{r} 6\ 5 \\ -\ 1\ 0 \\ \hline \end{array}$$

$$\begin{array}{r} 8\ 4 \\ -\ \ \ 1 \\ \hline \end{array}$$
$$\begin{array}{r} 9\ 3 \\ -\ 2\ 0 \\ \hline \end{array}$$
$$\begin{array}{r} 5\ 6 \\ -\ \ \ 2 \\ \hline \end{array}$$

1 계산한 다음 선으로 이으세요.

63 − 20	71 − 2	67 − 10

69	57	43

58 − 1	45 − 2	89 − 20

74 − 2	94 − 20	88 − 10

78	72	74

84 − 10	92 − 20	80 − 2

62 − 2	71 − 10	83 − 20

63	61	60

81 − 20	61 − 1	65 − 2

63 − 10	58 − 2	65 − 20

45	53	56

54 − 1	66 − 10	47 − 2

2 수 카드를 이용하여 만들 수 있는 두 수의 **뺄셈식**을 모두 쓰고 계산하세요.

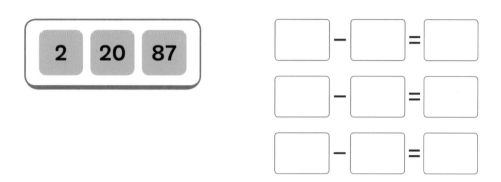

3 진우는 우표를 57장, 세영이는 20장을 샀습니다. 진우는 세영이보다 우표를 몇 장 더 샀을까요?

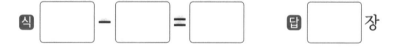

4 우리 학교 학생은 70명입니다. 오늘 학생 2명이 전학을 갔습니다. 우리 학교 학생은 몇 명일까요?

식 [ ] ─ [ ] = [ ]   답 [ ]명

□가 있는 빼기

개념
원리

⑩ 또는 ❶을 알맞게 지우고 뺄셈을 해 봅시다.

⑩ ⑩ ⑩ ⑩ ⑩ ~~⑩~~ ~~⑩~~
❶ ❶ ❶

$74 - \boxed{20} = 54$

74에서 54를 남기고 지우려면
/로 20만큼 지워야 합니다.

⑩ ⑩ ⑩ ⑩ ⑩
❶ ❶ ❶ ❶ ❶ ❶

$56 - \boxed{} = 46$

⑩ ⑩ ⑩ ⑩ ⑩ ⑩ ⑩ ⑩
❶ ❶ ❶ ❶

$84 - \boxed{} = 64$

⑩ ⑩ ⑩ ⑩ ⑩ ⑩ ⑩ ⑩ ⑩
❶ ❶

$92 - \boxed{} = 91$

⑩ ⑩ ⑩ ⑩ ⑩ ⑩
❶ ❶ ❶ ❶ ❶ ❶ ❶

$67 - \boxed{} = 65$

⑩ ⑩ ⑩ ⑩
❶ ❶ ❶ ❶ ❶ ❶ ❶ ❶ ❶

$49 - \boxed{} = 47$

⑩ ⑩ ⑩
❶ ❶ ❶ ❶ ❶ ❶ ❶ ❶

$38 - \boxed{} = 18$

$76 - \boxed{} = 56$ $\boxed{} - 2 = 63$ $53 - \boxed{} = 51$

$68 - \boxed{} = 67$ $\boxed{} - 20 = 72$ $49 - \boxed{} = 29$

$85 - \boxed{} = 75$ $\boxed{} - 10 = 27$ $67 - \boxed{} = 66$

$62 - \boxed{} = 60$ $\boxed{} - 1 = 25$ $94 - \boxed{} = 84$

$$\begin{array}{r} 5\ 2 \\ -\ \boxed{} \\ \hline 4\ 2 \end{array}$$

$$\begin{array}{r} 7\ 5 \\ -\ \boxed{} \\ \hline 5\ 5 \end{array}$$

$$\begin{array}{r} 8\ 1 \\ -\ \boxed{} \\ \hline 7\ 9 \end{array}$$

$$\begin{array}{r} \boxed{} \\ -\ \ \ 2 \\ \hline 3\ 7 \end{array}$$

$$\begin{array}{r} \boxed{} \\ -\ 1\ 0 \\ \hline 5\ 6 \end{array}$$

$$\begin{array}{r} \boxed{} \\ -\ 2\ 0 \\ \hline 5\ 3 \end{array}$$

1 빈칸에 알맞은 수를 쓰세요.

66 $\xrightarrow{-2}$ 64 $\xrightarrow{-\boxed{10}}$ 54

85 $\xrightarrow{-\Box}$ 65 $\xrightarrow{-\Box}$ 63

95 $\xrightarrow{-\Box}$ ◯ $\xrightarrow{-10}$ 83

69 $\xrightarrow{-1}$ ◯ $\xrightarrow{-\Box}$ 48

2 ◯ 안에 알맞은 수를 찾고 뺄셈을 하여 빈칸을 채우세요.

$-$ ⟨20⟩

56	36
72	52
37	17

$-$ ◯

	45
88	78
	63

$-$ ◯

	46
61	59
53	

$-$ ◯

	35
67	
49	29

$-$ ◯

	54
99	89
76	

$-$ ◯

34	
	51
67	66

3 관계있는 것끼리 연결하세요.

색종이가 **64**장 있습니다. 종이학을 몇 개 접었더니 **44**장이 남았습니다.

$52 - \square = 50$

$\square = 40$

참새가 **52**마리 앉아 있습니다. 몇 마리 날아가서 **50**마리가 되었습니다.

$64 - \square = 44$

$\square = 2$

스티커가 몇 장 있었습니다. **20**장을 붙였더니 **20**장이 남았습니다.

$\square - 20 = 20$

$\square = 20$

4 $\square$가 나타내는 수를 구하세요.

$\square$에서 **2**를 뺐더니 **58**입니다. $\square$는 얼마일까요?

$\square - 2 = 58$

62에서 $\square$을 뺐더니 **42**입니다. $\square$는 얼마일까요?

$\square$에서 **20**을 뺐더니 **41**입니다. $\square$는 얼마일까요?

1 조건에 맞게 거꾸로 뛰어 세어 빈칸에 알맞은 수를 쓰세요.

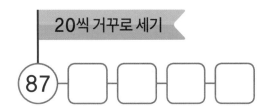

20씩 거꾸로 세기

87

2씩 거꾸로 세기

53

2 수를 배열한 규칙이 같은 것끼리 선으로 이으세요.

| 60 | 58 | 56 | 54 | 52 |

| 88 | 68 | 48 | 28 | 8 |

| 55 | 45 | 35 | 25 | 15 |

| 31 | 29 | 27 | 25 | 23 |

| 94 | 74 | 54 | 34 | 14 |

| 87 | 77 | 67 | 57 | 47 |

3 유진이는 94쪽짜리 동화책을 읽고 있습니다. 앞으로 4일 동안 매일 20쪽씩 읽는다면 몇 쪽 남을까요?

94

 쪽

4 ●의 수보다 **2** 작은 수에 ○표, **20** 작은 수에 □표 하고 선으로 연결하세요.

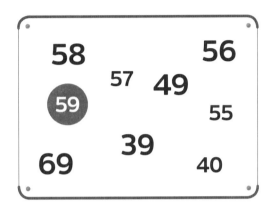

5 재승이와 민호가 열기구를 타려고 줄을 섰습니다. 재승이의 대기 번호는 **53**번이고, 민호의 대기 번호는 재승이보다 **20** 작은 수입니다. 민호의 대기 번호는 몇 번일까요?

민호의 대기 번호: ☐ 번

6 계산한 다음 선으로 이으세요.

88 − 20		76		84 − 2
92 − 10		82		96 − 20
78 − 2		68		78 − 10

7 정현이는 스티커를 63장, 진영이는 20장을 샀습니다. 정현이는 진영이보다 스티커를 몇 장 더 샀을까요?

식 [ ] − [ ] = [ ]　　답 [ ] 장

8 ○ 안에 알맞은 수를 찾고 뺄셈을 하여 빈칸을 채우세요.

− ◯	
	52
67	47
45	

− ◯	
53	51
	66
76	

− ◯	
37	
33	23
	18

9 [ ] 에서 20을 뺐더니 48입니다. [ ] 는 얼마일까요?　　[ ]

4주차

더하기와 빼기

1, 2, 10, 20 더하고 빼기

더하기와 빼기

개념
원리

수 배열표의 빈칸에 알맞은 수를 쓰고 계산을 해 봅시다.

41		43		
		53		
		(63)	64	65
	72			
				85

$63 + 1 = \boxed{64}$　　$63 - 1 = \boxed{}$

$63 + 2 = \boxed{65}$　　$63 - 2 = \boxed{}$

$63 + 10 = \boxed{}$　　$63 - 10 = \boxed{53}$

$63 + 20 = \boxed{}$　　$63 - 20 = \boxed{43}$

	26			
		(47)		
			58	
65				

$47 + 1 = \boxed{}$　　$47 - 1 = \boxed{}$

$47 + 2 = \boxed{}$　　$47 - 2 = \boxed{}$

$47 + 10 = \boxed{}$　　$47 - 10 = \boxed{}$

$47 + 20 = \boxed{}$　　$47 - 20 = \boxed{}$

				57
		(75)		
83				
			96	

$75 + 1 = \boxed{}$　　$75 - 1 = \boxed{}$

$75 + 2 = \boxed{}$　　$75 - 2 = \boxed{}$

$75 + 10 = \boxed{}$　　$75 - 10 = \boxed{}$

$75 + 20 = \boxed{}$　　$75 - 20 = \boxed{}$

63 + 2 = ☐   82 − 20 = ☐   46 + 10 = ☐

59 − 20 = ☐   33 + 10 = ☐   74 − 1 = ☐

28 + 1 = ☐   92 − 2 = ☐   68 + 20 = ☐

89 − 10 = ☐   71 + 1 = ☐   53 − 2 = ☐

$$\begin{array}{r} 7\ 3 \\ +\ 2\ 0 \\ \hline \end{array}$$ $$\begin{array}{r} 6\ 8 \\ -\ \ \ 2 \\ \hline \end{array}$$ $$\begin{array}{r} 3\ 5 \\ +\ 1\ 0 \\ \hline \end{array}$$

$$\begin{array}{r} 8\ 4 \\ -\ 1\ 0 \\ \hline \end{array}$$ $$\begin{array}{r} 5\ 8 \\ +\ \ \ 1 \\ \hline \end{array}$$ $$\begin{array}{r} 7\ 7 \\ -\ 2\ 0 \\ \hline \end{array}$$

1 왼쪽은 두 수의 합, 오른쪽은 두 수의 차입니다. 두 수를 찾아 모두 ○표 하세요.

합		차
61	21 31 (41) 2 (20)	21

합		차
60	57 58 59 1 20	58

합		차
54	24 34 44 10 20	34

합		차
70	68 78 79 1 2	66

합		차
97	57 77 87 10 20	57

합		차
53	40 41 51 2 10	49

합		차
74	71 72 73 2 10	70

합		차
85	83 84 85 1 10	83

2 다음을 읽고, **+**과 **−** 중 알맞은 것에 ○표 하고, 식과 답을 완성하세요.

> 자전거 가게에 두발자전거 **27**대, 세발자전거 **20**대가 있습니다.

자전거는 모두 몇 대 있을까요?

식 27 (**+** , **−**) 20 = ☐   답 ☐ 대

두발자전거는 세발자전거보다 몇 대 많을까요?

식 27 (**+** , **−**) 20 = ☐   답 ☐ 대

3 다음을 읽고, 물음에 답하세요.

> 체육관에는 야구공이 **73**개, 축구공이 **10**개 있습니다.

공은 모두 몇 개 있을까요?

식 _____   답 _____ 개

야구공은 축구공보다 몇 개 더 많을까요?

식 _____   답 _____ 개

□가 있는 더하기와 빼기

개념
원리

□ 안에 알맞은 수를 찾고 덧셈과 뺄셈을 하여 빈칸을 채워 봅시다.

47	20
67	

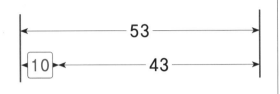

$47 + \boxed{20} = 67$

47과 □ 안의 수의 합은 67입니다.

$53 - \boxed{10} = 43$

53에서 □ 안의 수를 빼면 43입니다.

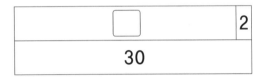

$\boxed{} + 2 = 30$

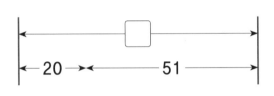

$\boxed{} - 20 = 51$

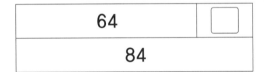

$64 + \boxed{} = 84$

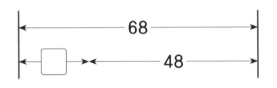

$68 - \boxed{} = 48$

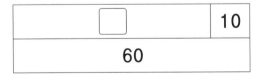

$\boxed{} + 10 = 60$

$\boxed{} - 10 = 35$

$53 + \boxed{} = 73$

$\boxed{} - 1 = 68$

$66 + \boxed{} = 86$

$83 - \boxed{} = 81$

$\boxed{} + 10 = 55$

$98 - \boxed{} = 97$

$41 + \boxed{} = 42$

$\boxed{} - 2 = 87$

$34 + \boxed{} = 44$

$64 - \boxed{} = 54$

$\boxed{} + 20 = 52$

$67 - \boxed{} = 65$

$$\begin{array}{r} 5\ 8 \\ -\ \boxed{} \\ \hline 3\ 8 \end{array}$$

$$\begin{array}{r} 4\ 2 \\ +\ \boxed{} \\ \hline 4\ 3 \end{array}$$

$$\begin{array}{r} 7\ 7 \\ -\ \boxed{} \\ \hline 6\ 7 \end{array}$$

$$\begin{array}{r} \boxed{} \\ +\ 1\ 0 \\ \hline 7\ 0 \end{array}$$

$$\begin{array}{r} \boxed{} \\ -\ \ \ 2 \\ \hline 8\ 5 \end{array}$$

$$\begin{array}{r} \boxed{} \\ +\ 2\ 0 \\ \hline 6\ 1 \end{array}$$

1 □ 안에 들어갈 수가 같은 것끼리 연결하세요.

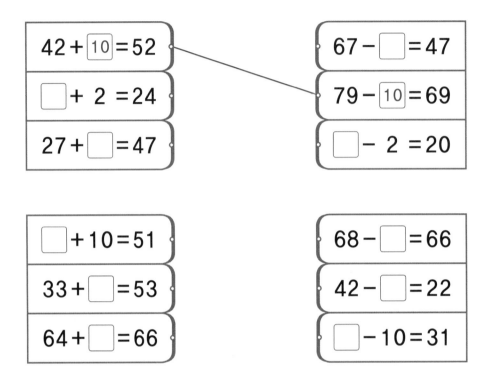

42 + 10 = 52

□ + 2 = 24

27 + □ = 47

67 - □ = 47

79 - 10 = 69

□ - 2 = 20

□ + 10 = 51

33 + □ = 53

64 + □ = 66

68 - □ = 66

42 - □ = 22

□ - 10 = 31

2 가로, 세로 방향으로 덧셈식과 뺄셈식이 성립하도록 빈 곳에 수를 채우세요.

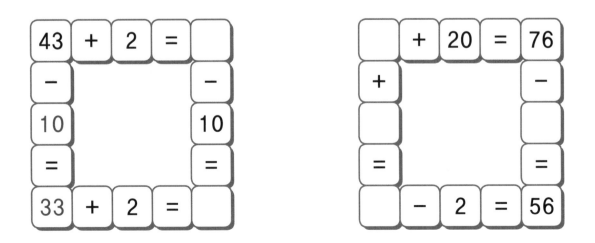

43 + 2 = □

− 　 −

10 　 10

= 　 =

33 + 2 = □

□ + 20 = 76

+ 　 −

= 　 =

□ − 2 = 56

3 다음과 같이 밑줄 친 곳에 알맞게 쓰고, ☐를 사용한 식을 만드세요.

> <u>76에서</u> <u>어떤 수를 뺐더니</u> <u>56이</u> 되었습니다.   ➡ $76 - ☐ = 56$
> 76   − ☐   = 56
> _____

어떤 수에 2를 더했더니 71이 되었습니다.   ➡   _____

어떤 수에서 10을 뺐더니 61이 되었습니다.   ➡   _____

4 물음에 맞는 식에 ◯표 하고, 답을 구하세요.

빨간색 상자에 쿠키 25개, 파란색 상자에 쿠키 몇 개가 있습니다. 두 상자에 있는 쿠키는 모두 35개입니다. 파란색 상자에 있는 쿠키는 몇 개일까요?

| $25 - ☐ = 35$ | $25 + ☐ = 35$ | $☐ + 35 = 25$ | $☐ - 25 = 35$ |

답 _____ 개

귤이 82개 있습니다. 친구들과 함께 귤을 몇 개 먹었더니 62개 남았습니다. 친구들과 함께 먹은 귤은 몇 개일까요?

| $82 + ☐ = 62$ | $82 - ☐ = 20$ | $20 + ☐ = 82$ | $82 - ☐ = 62$ |

답 _____ 개

세 수의 계산

세 수의 계산을 해 봅시다.

$$67 - 20 + 2$$

$$\boxed{47} + 2 = \boxed{49}$$

앞의 두 수를 먼저 계산한 다음 나머지 수를 계산합니다.

$$47 + 20 + 1$$

$$\boxed{} + 1 = \boxed{}$$

$$36 + 2 - 20$$

$$\boxed{} - 20 = \boxed{}$$

$$83 - 2 + 10$$

$$\boxed{} + 10 = \boxed{}$$

$$58 - 10 + 2$$

$$\boxed{} + 2 = \boxed{}$$

$$49 + 20 + 2$$

$$\boxed{} + 2 = \boxed{}$$

$$44 - 2 - 10$$

$$\boxed{} - 10 = \boxed{}$$

$$82 + 2 - 10$$

$$\boxed{} - 10 = \boxed{}$$

$$50 + 20 - 1$$

$$\boxed{} - 1 = \boxed{}$$

$31 + 20 + 2 =$ ☐

$61 - 2 + 20 =$ ☐

$55 + 1 - 20 =$ ☐

$82 - 20 - 2 =$ ☐

$73 - 10 + 2 =$ ☐

$47 - 2 + 20 =$ ☐

$44 + 20 - 10 =$ ☐

$61 + 20 - 1 =$ ☐

$63 - 2 - 20 =$ ☐

$75 - 2 + 10 =$ ☐

$56 + 10 - 2 =$ ☐

$42 + 20 - 10 =$ ☐

$71 - 2 - 20 =$ ☐

$53 + 20 + 10 =$ ☐

$46 + 20 - 2 =$ ☐

$62 - 2 + 20 =$ ☐

1 사다리를 타고 내려가는 길의 계산에 맞게 빈칸에 알맞은 수를 쓰세요.

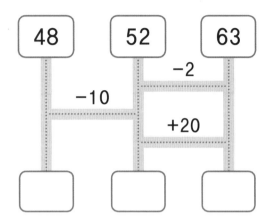

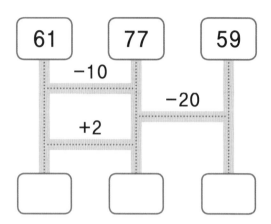

2 계산 결과에 맞게 길을 그리세요.

44 +1 +10 = 22
   -2 -20

64 +1 +10 = 72
   -2 -20

72 +2 +10 = 54
   -1 -20

53 +1 +20 = 74
   -2 -10

3 혜민이는 사탕을 63개 가지고 있습니다. 민주에게 10개를 주었습니다. 소희에게 20개를 주었습니다. 혜민이에게 남은 사탕은 몇 개일까요?

식 63 ⊖ 10 ⊖ 20 = ☐   답 ☐ 개

4 병호는 구슬을 45개 가지고 있습니다. 구슬 2개를 철호에게 주고, 20개를 민호에게 받았습니다. 병호가 가지고 있는 구슬은 몇 개일까요?

식 45 ◯ 2 ◯ 20 = ☐   답 ☐ 개

5 기차에 59명이 타고 있었습니다. 어느 역에서 2명이 타고 10명이 내렸을 때 기차 안에 있는 사람은 모두 몇 명일까요?

식 _____   답 _____ 명

6 현수는 풍선을 47개 가지고 있었습니다. 친구에게 20개를 주고, 동생에게 1개를 주었습니다. 남은 풍선은 몇 개일까요?

식 _____   답 _____ 개

수 만들기

개념
원리

수 사이에 **+** 또는 **-**를 여러 가지 방법으로 넣었습니다. 계산을 해 봅시다.

$$42 + 2 + 20 = \boxed{64} \qquad 42 - 2 + 20 = \boxed{60}$$

$$42 + 2 - 20 = \boxed{24} \qquad 42 - 2 - 20 = \boxed{20}$$

세 수의 계산을 할 때 **+**, **-**를 넣는 방법은 **4**가지가 있습니다.

$56 + 1 + 20 = \boxed{}$　　　　$71 + 2 + 20 = \boxed{}$

$56 + 1 - 20 = \boxed{}$　　　　$71 + 2 - 20 = \boxed{}$

$56 - 1 + 20 = \boxed{}$　　　　$71 - 2 + 20 = \boxed{}$

$56 - 1 - 20 = \boxed{}$　　　　$71 - 2 - 20 = \boxed{}$

$69 + 2 + 10 = \boxed{}$　　　　$48 + 20 + 10 = \boxed{}$

$69 + 2 - 10 = \boxed{}$　　　　$48 + 20 - 10 = \boxed{}$

$69 - 2 + 10 = \boxed{}$　　　　$48 - 20 + 10 = \boxed{}$

$69 - 2 - 10 = \boxed{}$　　　　$48 - 20 - 10 = \boxed{}$

$45 \; (+) \; 2 \; (+) \; 20 = 67$

$68 \; (\;) \; 10 \; (\;) \; 10 = 48$

$32 \; (\;) \; 10 \; (\;) \; 20 = 42$

$57 \; (\;) \; 10 \; (\;) \; 2 = 49$

$73 \; (\;) \; 1 \; (\;) \; 10 = 64$

$64 \; (\;) \; 2 \; (\;) \; 20 = 82$

$21 \; (\;) \; 2 \; (\;) \; 20 = 43$

$49 \; (\;) \; 10 \; (\;) \; 2 = 57$

$54 \; (\;) \; 2 \; (\;) \; 20 = 36$

$76 \; (\;) \; 10 \; (\;) \; 2 = 68$

$85 \; (\;) \; 1 \; (\;) \; 10 = 96$

$42 \; (\;) \; 10 \; (\;) \; 20 = 32$

$63 \; (\;) \; 2 \; (\;) \; 10 = 51$

$91 \; (\;) \; 10 \; (\;) \; 20 = 61$

$46 \; (\;) \; 20 \; (\;) \; 2 = 28$

$32 \; (\;) \; 2 \; (\;) \; 10 = 24$

1 계산 결과에 맞게 선을 이으세요.

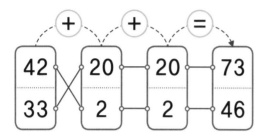

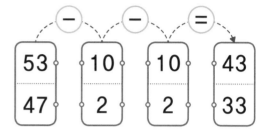

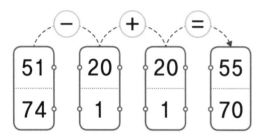

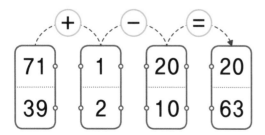

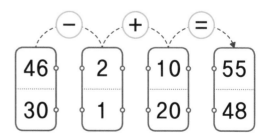

2 다음 수 카드 중 두 장을 이용하여 식을 완성하세요.

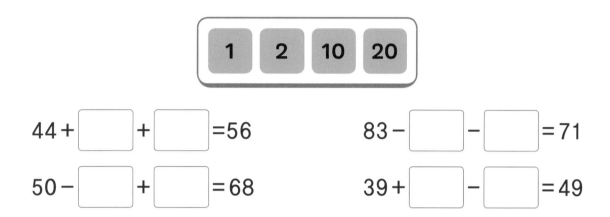

| 1 | 2 | 10 | 20 |

$44 + \boxed{} + \boxed{} = 56$ $83 - \boxed{} - \boxed{} = 71$

$50 - \boxed{} + \boxed{} = 68$ $39 + \boxed{} - \boxed{} = 49$

3 물음에 맞는 식에 ◯표 하고, 답을 구하세요.

지형이는 색종이를 **72**장 가지고 있습니다. **10**장을 승기에게 주고, 몇 장을 형미에게 받았더니 **64**장이 되었습니다. 형미에게 받은 색종이는 몇 장일까요?

| $72 - 10 + \boxed{} = 64$ | $72 + 10 = \boxed{} - 64$ | $72 - 10 - \boxed{} = 64$ |

답 _____ 장

주차장에 있던 차 중에서 **20**대가 나가고 **1**대가 들어와서 **53**대가 되었습니다. 처음 주차장에 있던 차는 몇 대일까요?

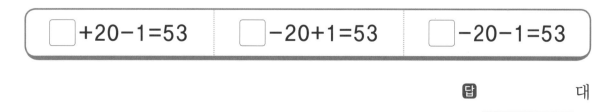

| $\boxed{} + 20 - 1 = 53$ | $\boxed{} - 20 + 1 = 53$ | $\boxed{} - 20 - 1 = 53$ |

답 _____ 대

1 왼쪽은 두 수의 합, 오른쪽은 두 수의 차입니다. 두 수를 찾아 모두 ○표 하세요.

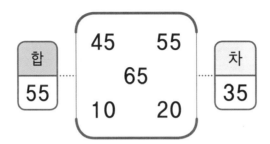

합
55

45	55
65	
10	20

차
35

2 다음을 보고, 물음에 답하세요.

귤이 66개, 복숭아가 20개 있습니다.

과일은 모두 몇 개 있을까요?

식 _____   답 _____ 개

귤은 복숭아보다 몇 개 더 많을까요?

식 _____   답 _____ 개

3　□ 안에 들어갈 수가 같은 것끼리 연결하세요.

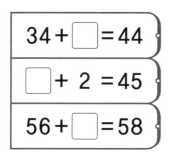

$34 + \square = 44$

$\square + 2 = 45$

$56 + \square = 58$

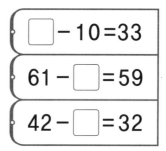

$\square - 10 = 33$

$61 - \square = 59$

$42 - \square = 32$

4　울타리 안에 양 35마리가 풀을 뜯고 있습니다. 20마리가 울타리 안으로 더 들어오고, 2마리
　가 울타리 밖으로 나갔습니다. 울타리 안에 있는 양은 몇 마리일까요?

식　　　　　　　　　　　　　　　　　　답　　　　　　　마리

5　◯ 안에 + 또는 −를 채우세요.

$48 \bigcirc 2 \bigcirc 20 = 66$　　　$71 \bigcirc 2 \bigcirc 10 = 83$

$60 \bigcirc 1 \bigcirc 20 = 39$　　　$54 \bigcirc 20 \bigcirc 10 = 64$

6 계산 결과에 맞게 선을 이으세요.

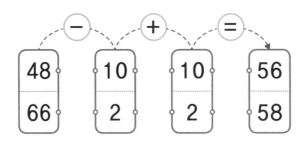

7 물음에 맞는 식에 ◯표 하고, 답을 구하세요.

사탕이 74개 있습니다. 친구들과 함께 사탕을 몇 개 먹었더니 54개가 남았습니다. 친구들과 먹은 사탕은 몇 개일까요?

| 74+ ☐ =54 | 74- ☐ =54 | 20+ ☐ =74 |

답 _____ 개

재승이는 스티커를 67장 가지고 있었습니다. 동생에게 20장을 주고, 누나에게 몇 장을 받았더니 57장이 되었습니다. 누나에게 받은 스티커는 몇 장일까요?

| 67-20- ☐ =57 | 67+20= ☐ -57 | 67-20+ ☐ =57 |

답 _____ 장

응용 연산

P2
7~8세

100까지의 수에서
더하기, 빼기 1, 2, 10과 20

Creative to Math

씨투엠

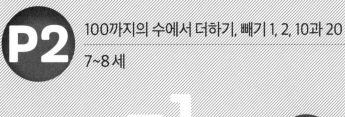

100까지의 수

081 100까지의 수

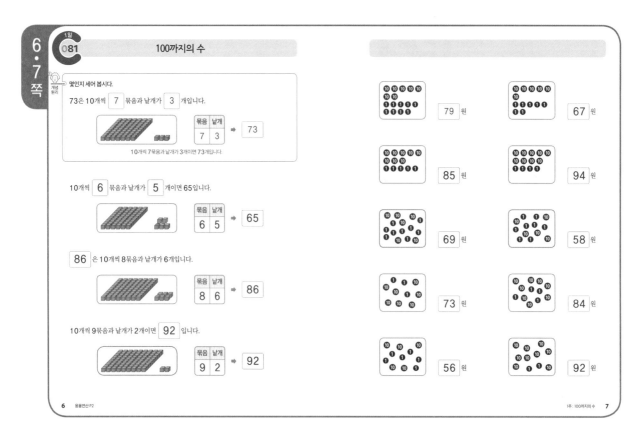

몇인지 세어 봅시다.

73은 10개씩 **7** 묶음과 낱개가 **3** 개입니다.

묶음	낱개
7	3
➡ 73

10개씩 7묶음과 낱개가 3개이면 73개입니다.

10개씩 **6** 묶음과 낱개가 **5** 개이면 65입니다.

묶음	낱개
6	5
➡ 65

86 은 10개씩 8묶음과 낱개가 6개입니다.

묶음	낱개
8	6
➡ 86

10개씩 9묶음과 낱개가 2개이면 **92** 입니다.

묶음	낱개
9	2
➡ 92

79 원   67 원
85 원   94 원
69 원   58 원
73 원   84 원
56 원   92 원

응용연산

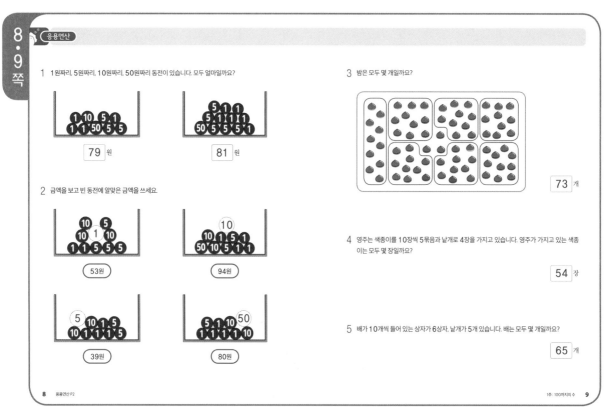

1 1원짜리, 5원짜리, 10원짜리, 50원짜리 동전이 있습니다. 모두 얼마일까요?

79 원   81 원

2 금액을 보고 빈 동전에 알맞은 금액을 쓰세요.

53원   94원

39원   80원

3 밤은 모두 몇 개일까요?

73 개

4 영주는 색종이를 10장씩 5묶음과 낱개로 4장을 가지고 있습니다. 영주가 가지고 있는 색종이는 모두 몇 장일까요?

54 장

5 배가 10개씩 들어 있는 상자가 6상자, 낱개가 5개 있습니다. 배는 모두 몇 개일까요?

65 개

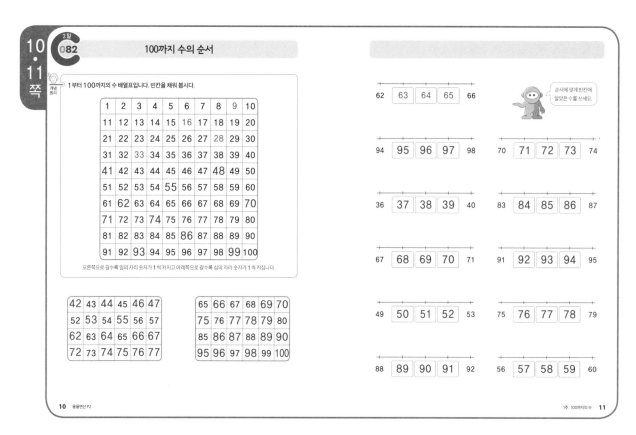

C 082 100까지 수의 순서

개념원리

1부터 100까지의 수 배열표입니다. 빈칸을 채워 봅시다.

1	2	3	4	5	6	7	8	9	10
11	12	13	14	15	16	17	18	19	20
21	22	23	24	25	26	27	28	29	30
31	32	33	34	35	36	37	38	39	40
41	42	43	44	45	46	47	48	49	50
51	52	53	54	55	56	57	58	59	60
61	62	63	64	65	66	67	68	69	70
71	72	73	74	75	76	77	78	79	80
81	82	83	84	85	86	87	88	89	90
91	92	93	94	95	96	97	98	99	100

오른쪽으로 갈수록 일의 자리 숫자가 1씩 커지고 아래쪽으로 갈수록 십의 자리 숫자가 1씩 커집니다.

42	43	44	45	46	47
52	53	54	55	56	57
62	63	64	65	66	67
72	73	74	75	76	77

65	66	67	68	69	70
75	76	77	78	79	80
85	86	87	88	89	90
95	96	97	98	99	100

순서에 맞게 빈칸에 알맞은 수를 쓰세요.

62 **63 64 65** 66

94 **95 96 97** 98   70 **71 72 73** 74

36 **37 38 39** 40   83 **84 85 86** 87

67 **68 69 70** 71   91 **92 93 94** 95

49 **50 51 52** 53   75 **76 77 78** 79

88 **89 90 91** 92   56 **57 58 59** 60

응용연산

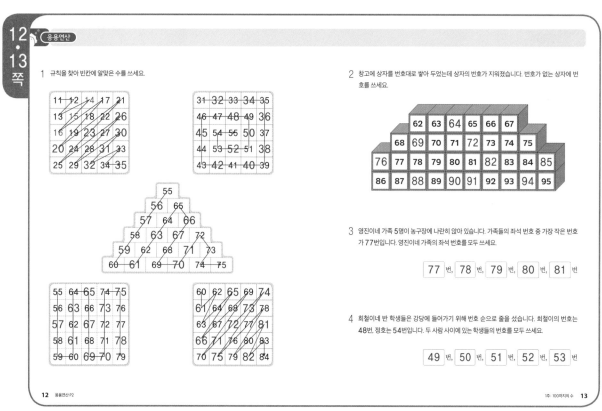

1 규칙을 찾아 빈칸에 알맞은 수를 쓰세요.

11	12	14	17	21
13	15	18	22	26
16	19	23	27	30
20	24	28	31	33
25	29	32	34	35

31	32	33	34	35
46	47	48	49	36
45	54	55	50	37
44	53	52	51	38
43	42	41	40	39

```
              55
           56    65
         57    64    66
      58    63    67    72
   59    62    68    71    73
60    61    69    70    74    75
```

55	64	65	74	75
56	63	66	73	76
57	62	67	72	77
58	61	68	71	78
59	60	69	70	79

60	62	65	69	74
61	64	68	73	78
63	67	72	77	81
66	71	76	80	83
70	75	79	82	84

2 창고에 상자를 번호대로 쌓아 두었는데 상자의 번호가 지워졌습니다. 번호가 없는 상자에 번호를 쓰세요.

		62	63	64	65	66	67		
	68	69	70	71	72	73	74	75	
76	77	78	79	80	81	82	83	84	85
86	87	88	89	90	91	92	93	94	95

3 영진이네 가족 5명이 농구장에 나란히 앉아 있습니다. 가족들의 좌석 번호 중 가장 작은 번호가 77번입니다. 영진이네 가족의 좌석 번호를 모두 쓰세요.

77 번, **78** 번, **79** 번, **80** 번, **81** 번

4 회철이네 반 학생들은 강당에 들어가기 위해 번호 순으로 줄을 섰습니다. 회철이의 번호는 48번, 정호는 54번입니다. 두 사람 사이에 있는 학생들의 번호를 모두 쓰세요.

49 번, **50** 번, **51** 번, **52** 번, **53** 번

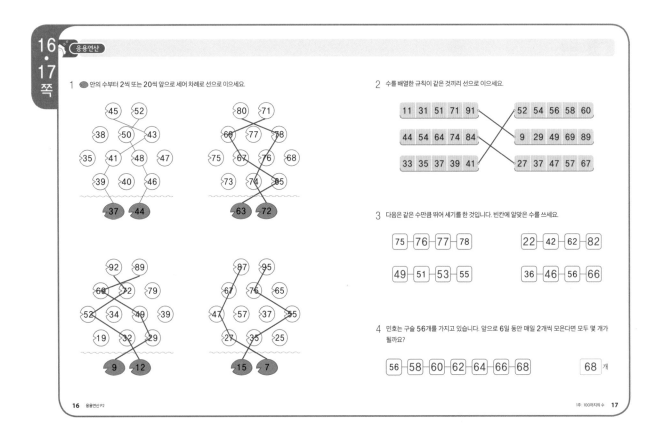

C 083 2씩, 20씩 앞으로 세기

2씩 또는 20씩 앞으로 세어 봅시다.

2씩 앞으로 세기
51 52 53 54 55 56 57 57 58
51 — 53 — 55 — 57 — 59
2씩 앞으로 세면 일의 자리 숫자가 2씩 커집니다.

20씩 앞으로 세기
17 27 37 47 57 67 77 87 97
17 — 37 — 57 — 77 — 97
20씩 뛰어 세면 십의 자리 숫자가 2씩 커집니다.

2씩 앞으로 세기
21 22 23 24 25 26 27 28 29 30
21 — 23 — 25 — 27 — 29

20씩 앞으로 세기
4 14 24 34 44 54 64 74 84 94
4 — 24 — 44 — 64 — 84

2씩 앞으로 세기
75 76 77 78 79 80 81 82 83 84
75 — 77 — 79 — 81 — 83

1씩 앞으로 세기
48 — 49 — 50 — 51 — 52

2씩 앞으로 세기
62 — 64 — 66 — 68 — 70

10씩 앞으로 세기
56 — 66 — 76 — 86 — 96

20씩 앞으로 세기
13 — 33 — 53 — 73 — 93

2씩 앞으로 세기
69 — 71 — 73 — 75 — 77

20씩 앞으로 세기
7 — 27 — 47 — 67 — 87

10씩 앞으로 세기
31 — 41 — 51 — 61 — 71

1씩 앞으로 세기
54 — 55 — 56 — 57 — 58

20씩 앞으로 세기
5 — 25 — 45 — 65 — 85

2씩 앞으로 세기
72 — 74 — 76 — 78 — 80

14 응용연산 P2

1주 : 100까지의 수 15

응용연산

1 ● 안의 수부터 2씩 또는 20씩 앞으로 세어 차례로 선으로 이으세요.

45 52
38 50 43
35 41 48 47
39 40 46
37 44

80 71
69 77 78
75 67 76 68
73 74 85
63 72

92 89
69 72 79
52 34 49 39
19 32 29
9 12

87 95
67 75 65
47 57 37 55
27 35 25
15 7

2 수를 배열한 규칙이 같은 것끼리 선으로 이으세요.

11 31 51 71 91
44 54 64 74 84
33 35 37 39 41

52 54 56 58 60
9 29 49 69 89
27 37 47 57 67

3 다음은 같은 수만큼 뛰어 세기를 한 것입니다. 빈칸에 알맞은 수를 쓰세요.

75 — 76 — 77 — 78

22 — 42 — 62 — 82

49 — 51 — 53 — 55

36 — 46 — 56 — 66

4 민호는 구슬 56개를 가지고 있습니다. 앞으로 6일 동안 매일 2개씩 모은다면 모두 몇 개가 될까요?

56 — 58 — 60 — 62 — 64 — 66 — 68

68 개

16 응용연산 P2

1주 : 100까지의 수 17

084 **2 큰 수, 20 큰 수**

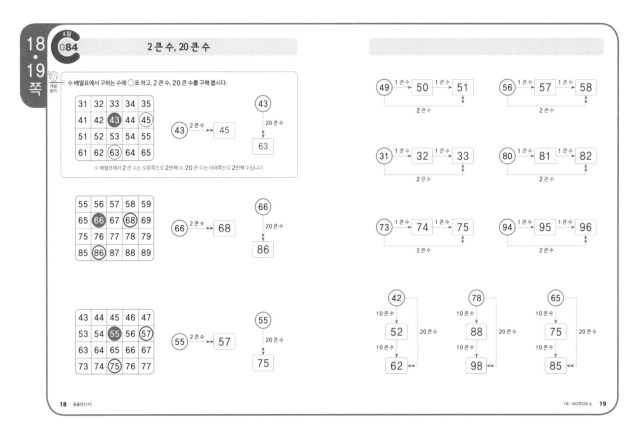

응용연산

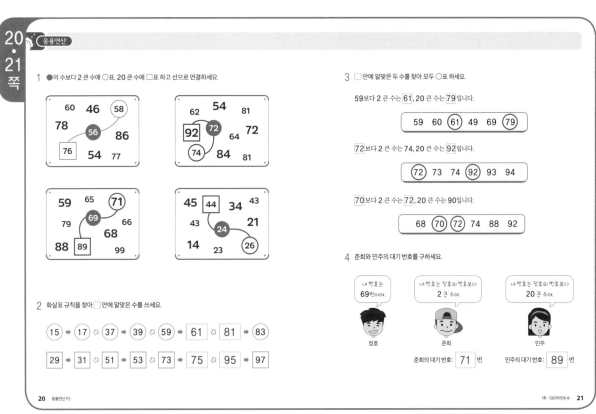

22·23쪽 형성평가

1 10원짜리와 1원짜리 동전입니다. 모두 얼마일까요?

 76 원

59 원

2 사탕은 모두 몇 개일까요?

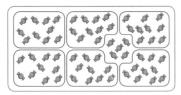

65 개

3 복숭아가 10개씩 들어 있는 상자가 8상자, 낱개가 2개 있습니다. 복숭아는 모두 몇 개일까요?

82 개

4 규칙을 찾아 빈칸에 알맞은 수를 쓰세요.

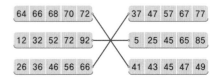

71	80	81	90	91
72	79	82	89	92
73	78	83	88	93
74	77	84	87	94
75	76	85	86	95

5 영준이네 반 학생들이 놀이기구를 타기 위해 번호 순으로 줄을 섰습니다. 영준이의 번호는 68번, 은성이는 74번입니다. 두 사람 사이에 있는 학생들의 번호를 모두 쓰세요.

69 번, **70** 번, **71** 번, **72** 번, **73** 번

6 수를 배열한 규칙이 같은 것끼리 선으로 이으세요.

64	66	68	70	72

12	32	52	72	92

26	36	46	56	66

37	47	57	67	77

5	25	45	65	85

41	43	45	47	49

24쪽

7 ●의 수보다 2 큰 수에 ○표, 20 큰 수에 □표 하고 선으로 연결하세요.

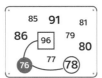

85 **91** 81
86 96 79
80
76 77 **78**

8 정은이는 우표 12장을 가지고 있습니다. 앞으로 4일 동안 매일 20장씩 모은다면 모두 몇 장이 될까요?

92 장

9 수영이가 공연장에 앉아 있습니다. 수영이의 좌석 번호는 몇 번일까요?

내 좌석 번호는 68보다 20 큰 수야.

수영

수영이의 좌석 번호: **88**

덧셈하기

26·27쪽

1일 085 더하기 1, 2, 10, 20

그림을 보고 덧셈을 해 봅시다.

46 + 20 = 66

46+20의 계산 결과는 46보다 20 큰 수와 같습니다.

72 + 1 = 73

55 + 20 = 75

74 + 10 = 84

88 + 2 = 90

62 + 2 = 64

53 + 10 = 63

$74 + 2 = 76$ $67 + 20 = 87$ $45 + 1 = 46$

$54 + 10 = 64$ $28 + 2 = 30$ $37 + 20 = 57$

$72 + 20 = 92$ $69 + 1 = 70$ $51 + 10 = 61$

$59 + 2 = 61$ $36 + 10 = 46$ $84 + 2 = 86$

```
  7 0        5 9        6 8
+ 2 0      +   1      +   2
  9 0        6 0        7 0
```

```
  3 9        8 9        5 6
+   2      + 1 0      + 2 0
  4 1        9 9        7 6
```

28·29쪽

응용연산

1 계산한 다음 선으로 이으세요.

52+2 51+10 37+20

61 54 57

56+1 34+20 59+2

46+20 74+1 76+10

86 75 66

73+2 56+10 85+1

73+10 79+1 68+20

80 88 83

63+20 70+10 86+2

58+10 52+20 63+1

64 68 72

62+10 67+1 62+2

2 문제와 식에 맞게 선으로 연결하고 □ 안에 알맞은 수를 쓰세요.

티셔츠가 64벌, 바지가 10벌 있습니다.

동물은 모두 몇 마리일까요?

$48 + 20 = 68$

복숭아가 48개, 오렌지가 20개 있습니다.

옷은 모두 몇 벌일까요?

$64 + 10 = 74$

너구리가 55마리, 사자가 2마리 있습니다.

과일은 모두 몇 개일까요?

$55 + 2 = 57$

3 제과점에서 식빵을 오전에 58개, 오후에 20개를 구웠습니다. 제과점에서 오전과 오후에 구운 식빵은 모두 몇 개일까요?

식 $58 + 20 = 78$ 답 78 개

4 우리 학교 학생은 96명입니다. 오늘 학생 2명이 전학을 왔습니다. 우리 학교 학생은 모두 몇 명일까요?

식 $96 + 2 = 98$ 답 98 명

30·31쪽

2일 086 바꾸어 더하기

두 수를 바꾸어 더해 봅시다.

45 + 20 = 65

20 + 45 = 65

두 수를 바꾸어 더해도 계산 결과는 같습니다.

58 + 10 = 68
10 + 58 = 68

67 + 20 = 87
20 + 67 = 87

72 + 20 = 92
20 + 72 = 92

89 + 2 = 91
2 + 89 = 91

64 + 1 = 65
1 + 64 = 65

56 + 20 = 76
20 + 56 = 76

49 + 20 = 69
20 + 49 = 69

97 + 2 = 99
2 + 97 = 99

48 + 2 = 50
2 + 48 = 50

78 + 20 = 98
20 + 78 = 98

52 + 20 = 72
20 + 52 = 72

70 + 10 = 80
10 + 70 = 80

66 + 2 = 68
2 + 66 = 68

59 + 20 = 79
20 + 59 = 79

43 + 10 = 53
10 + 43 = 53

85 + 1 = 86
1 + 85 = 86

79 + 2 = 81
2 + 79 = 81

54 + 20 = 74
20 + 54 = 74

32·33쪽

응용연산

1 가로, 세로로 두 수의 합에 맞게 빈칸에 알맞은 수를 쓰세요.

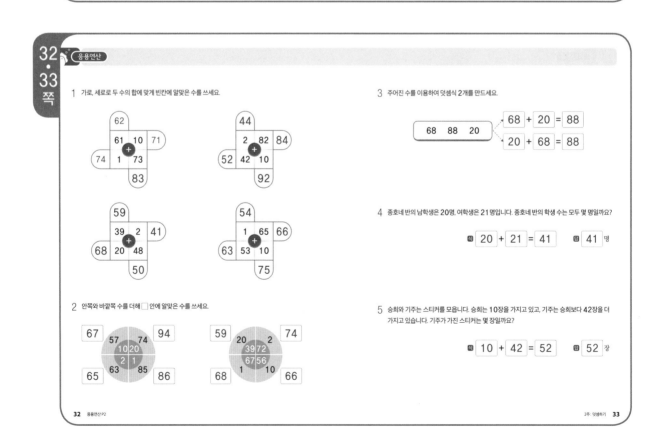

62
61 10 71
74 1 73
83

44
2 82 84
52 42 10
92

59
39 2 41
68 20 48
50

54
1 65 66
63 53 10
75

2 안쪽과 바깥쪽 수를 더해 ☐ 안에 알맞은 수를 쓰세요.

67   94
57 74
10 20
2 1
65 63 1 85 86

59   74
20 2
39 72
67 56
68 1 10 66

3 주어진 수를 이용하여 덧셈식 2개를 만드세요.

68 88 20

68 + 20 = 88

20 + 68 = 88

4 종호네 반의 남학생은 20명, 여학생은 21명입니다. 종호네 반의 학생 수는 모두 몇 명일까요?

식 20 + 21 = 41   답 41 명

5 승희와 기주는 스티커를 모읍니다. 승희는 10장을 가지고 있고, 기주는 승희보다 42장을 더 가지고 있습니다. 기주가 가진 스티커는 몇 장일까요?

식 10 + 42 = 52   답 52 장

3일
087 □가 있는 더하기

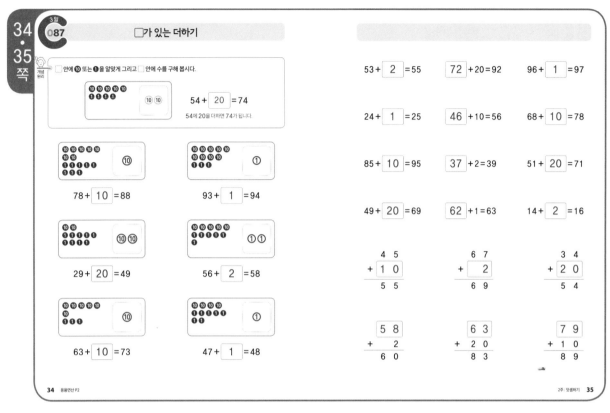

개념원리 □안에 ⑩ 또는 ❶을 알맞게 그리고 □안에 수를 구해 봅시다.

⑩⑩⑩⑩   ⑩⑩   54 + 20 = 74
❶❶❶❶
54에 20을 더하면 74가 됩니다.

78 + 10 = 88   93 + 1 = 94

29 + 20 = 49   56 + 2 = 58

63 + 10 = 73   47 + 1 = 48

53 + 2 = 55   72 + 20 = 92   96 + 1 = 97

24 + 1 = 25   46 + 10 = 56   68 + 10 = 78

85 + 10 = 95   37 + 2 = 39   51 + 20 = 71

49 + 20 = 69   62 + 1 = 63   14 + 2 = 16

```
  4 5        6 7        3 4
+ 1 0      +   2      + 2 0
  5 5        6 9        5 4
```

```
  5 8        6 3        7 9
+   2      + 2 0      + 1 0
  6 0        8 3        8 9
```

36·37쪽

응용연산

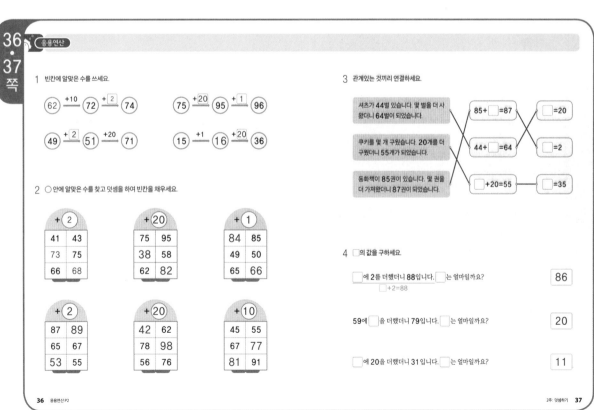

1 빈칸에 알맞은 수를 쓰세요.

62 →+10→ 72 →+2→ 74   75 →+20→ 95 →+1→ 96

49 →+2→ 51 →+20→ 71   15 →+1→ 16 →+20→ 36

2 ○안에 알맞은 수를 찾고 덧셈을 하여 빈칸을 채우세요.

+2
41	43
73	75
66	68

+20
75	95
38	58
62	82

+1
84	85
49	50
65	66

+2
87	89
65	67
53	55

+20
42	62
78	98
56	76

+10
45	55
67	77
81	91

3 관계있는 것끼리 연결하세요.

셔츠가 44벌 있습니다. 몇 벌을 더 사 왔더니 64벌이 되었습니다.

쿠키를 몇 개 구웠습니다. 20개를 더 구웠더니 55개가 되었습니다.

동화책이 85권이 있습니다. 몇 권을 더 가져왔더니 87권이 되었습니다.

85 + □ = 87   □ = 20

44 + □ = 64   □ = 2

□ + 20 = 55   □ = 35

4 □의 값을 구하세요

□에 2를 더했더니 88입니다. □는 얼마일까요?   86
□ + 2 = 88

59에 □을 더했더니 79입니다. □는 얼마일까요?   20

□에 20을 더했더니 31입니다. □는 얼마일까요?   11

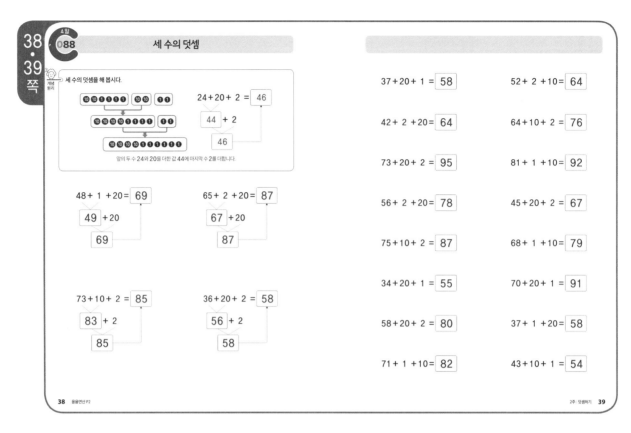

세 수의 덧셈

세 수의 덧셈을 해 봅시다.

24 + 20 + 2 = 46
44 + 2
46

앞의 두 수 24와 20을 더한 값 44에 마지막 수 2를 더합니다.

48 + 1 + 20 = 69
49 + 20
69

65 + 2 + 20 = 87
67 + 20
87

73 + 10 + 2 = 85
83 + 2
85

36 + 20 + 2 = 58
56 + 2
58

37 + 20 + 1 = 58

52 + 2 + 10 = 64

42 + 2 + 20 = 64

64 + 10 + 2 = 76

73 + 20 + 2 = 95

81 + 1 + 10 = 92

56 + 2 + 20 = 78

45 + 20 + 2 = 67

75 + 10 + 2 = 87

68 + 1 + 10 = 79

34 + 20 + 1 = 55

70 + 20 + 1 = 91

58 + 20 + 2 = 80

37 + 1 + 20 = 58

71 + 1 + 10 = 82

43 + 10 + 1 = 54

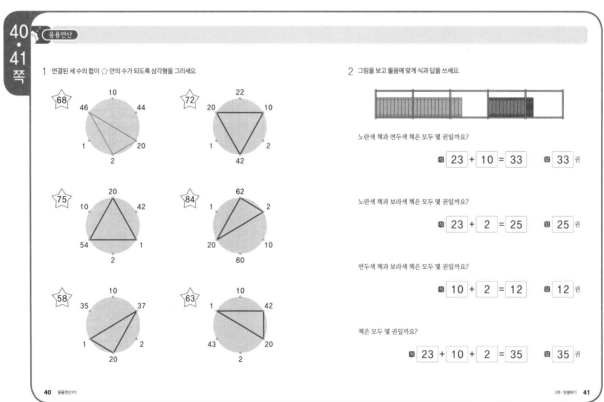

응용연산

1 연결된 세 수의 합이 ☆ 안의 수가 되도록 삼각형을 그리세요.

2 그림을 보고 물음에 맞게 식과 답을 쓰세요

노란색 책과 연두색 책은 모두 몇 권일까요?

식 23 + 10 = 33   답 33 권

노란색 책과 보라색 책은 모두 몇 권일까요?

식 23 + 2 = 25   답 25 권

연두색 책과 보라색 책은 모두 몇 권일까요?

식 10 + 2 = 12   답 12 권

책은 모두 몇 권일까요?

식 23 + 10 + 2 = 35   답 35 권

42·43 쪽

1 계산한 다음 선을 이으세요.

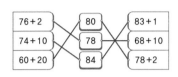

76 + 2		80		83 + 1
74 + 10		78		68 + 10
60 + 20		84		78 + 2

2 닭이 어제는 달걀을 63개, 오늘은 20개를 낳았습니다. 어제와 오늘 닭이 낳은 달걀은 모두 몇 개일까요?

식 $63 + 20 = 83$ 답 83 개

3 가로, 세로로 두 수의 합을 빈칸에 쓰세요.

4 재영이와 현수는 도토리를 줍는데 재영이는 53개 주웠고, 현수는 재영이보다 2개 더 주웠습니다. 현수가 주운 도토리는 몇 개일까요?

식 $53 + 2 = 55$ 답 55 개

5 ○안에 알맞은 수를 찾고 덧셈을 하여 빈칸을 채우세요.

+20	
56	76
72	92
48	68

+10	
52	62
84	94
63	73

+2	
65	67
43	45
52	54

6 ☐에 20을 더했더니 74입니다. ☐는 얼마일까요?

54

44 쪽

7 덧셈을 하세요.

$63 + 20 + 1 =$ 84 $58 + 2 + 20 =$ 80

$47 + 2 + 10 =$ 59 $36 + 20 + 2 =$ 58

8 연결된 세 수의 합이 ☆ 안의 수가 되도록 삼각형을 그리세요.

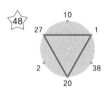

9 아이스크림이 녹차맛 36개, 딸기맛 2개, 초코맛 20개가 있습니다. 아이스크림은 모두 몇 개일까요?

식 $36 + 2 + 20 = 58$ 답 58 개

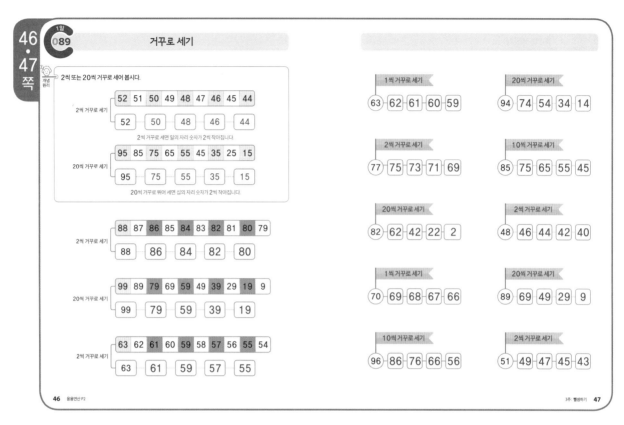

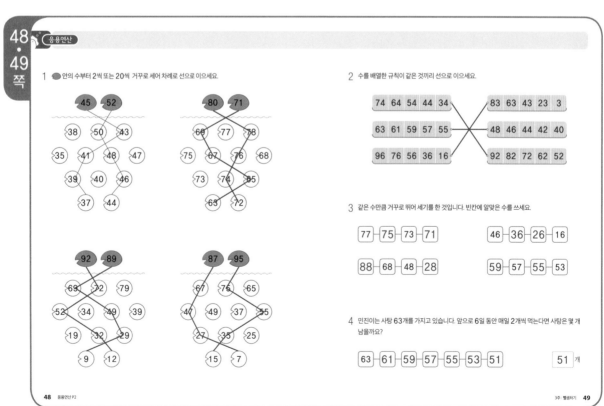

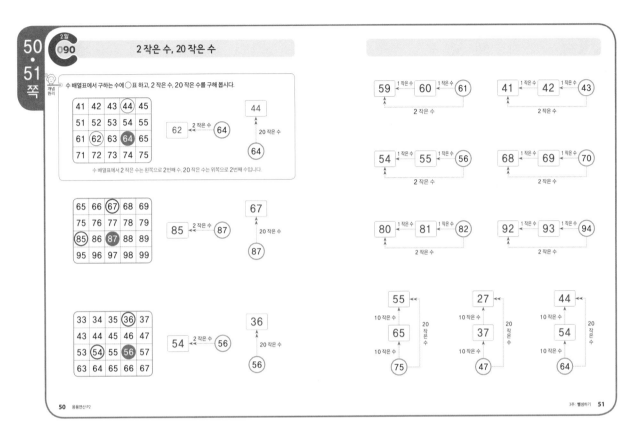

용용연산

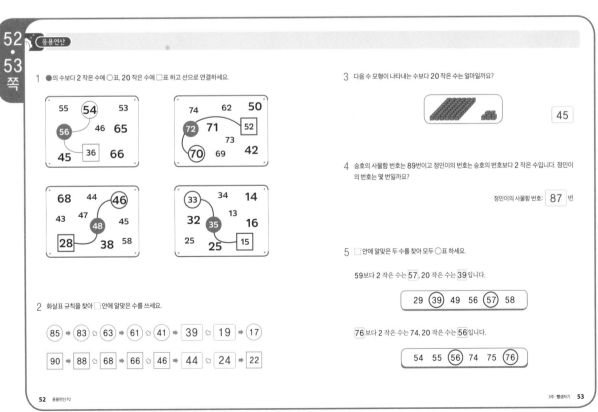

정답 및 해설 **13**

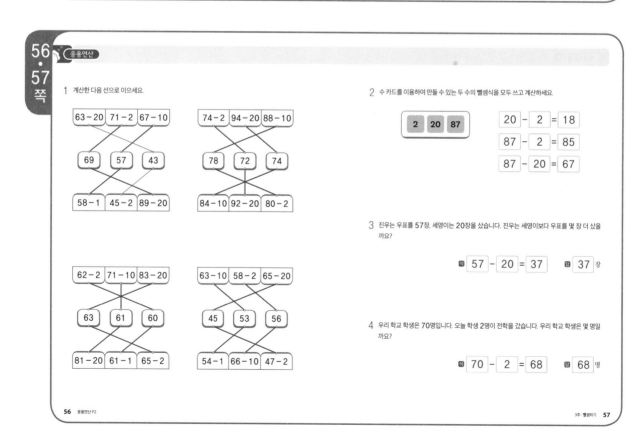

54·55쪽

3일 091 · 빼기 1, 2, 10, 20

개념원리

10 또는 1을 지우고 뺄셈을 해 봅시다.

| 37 | |
| 57 | 20 작은 수 |

$57 - 20 = 37$

57-20의 계산 결과는 57보다 20 작은 수와 같습니다.

| 84 | 2 작은 수 |
| 86 | |

$86 - 2 = 84$

| 59 | 10 작은 수 |
| 69 | |

$69 - 10 = 59$

| 55 | 20 작은 수 |
| 75 | |

$75 - 20 = 55$

| 46 | 1 작은 수 |
| 47 | |

$47 - 1 = 46$

| 73 | 10 작은 수 |
| 83 | |

$83 - 10 = 73$

| 62 | 2 작은 수 |
| 64 | |

$64 - 2 = 62$

$68 - 2 = 66$ $54 - 10 = 44$ $76 - 20 = 56$

$85 - 20 = 65$ $73 - 2 = 71$ $51 - 1 = 50$

$59 - 1 = 58$ $77 - 20 = 57$ $43 - 2 = 41$

$72 - 10 = 62$ $88 - 1 = 87$ $69 - 10 = 59$

$$\begin{array}{r} 4\ 1 \\ -\ 2\ 0 \\ \hline 2\ 1 \end{array}$$
$$\begin{array}{r} 7\ 8 \\ -\quad 2 \\ \hline 7\ 6 \end{array}$$
$$\begin{array}{r} 6\ 5 \\ -\ 1\ 0 \\ \hline 5\ 5 \end{array}$$

$$\begin{array}{r} 8\ 4 \\ -\quad 1 \\ \hline 8\ 3 \end{array}$$
$$\begin{array}{r} 9\ 3 \\ -\ 2\ 0 \\ \hline 7\ 3 \end{array}$$
$$\begin{array}{r} 5\ 6 \\ -\quad 2 \\ \hline 5\ 4 \end{array}$$

56·57쪽

응용연산

1 계산한 다음 선으로 이으세요

63-20	71-2	67-10
69	57	43
58-1	45-2	89-20

74-2	94-20	88-10
78	72	74
84-10	92-20	80-2

62-2	71-10	83-20
63	61	60
81-20	61-1	65-2

63-10	58-2	65-20
45	53	56
54-1	66-10	47-2

2 수 카드를 이용하여 만들 수 있는 두 수의 뺄셈식을 모두 쓰고 계산하세요.

| 2 | 20 | 87 |

$20 - 2 = 18$
$87 - 2 = 85$
$87 - 20 = 67$

3 진우는 우표를 57장, 세영이는 20장을 샀습니다. 진우는 세영이보다 우표를 몇 장 더 샀을까요?

식 $57 - 20 = 37$ 답 37 장

4 우리 학교 학생은 70명입니다. 오늘 학생 2명이 전학을 갔습니다. 우리 학교 학생은 몇 명일까요?

식 $70 - 2 = 68$ 답 68 명

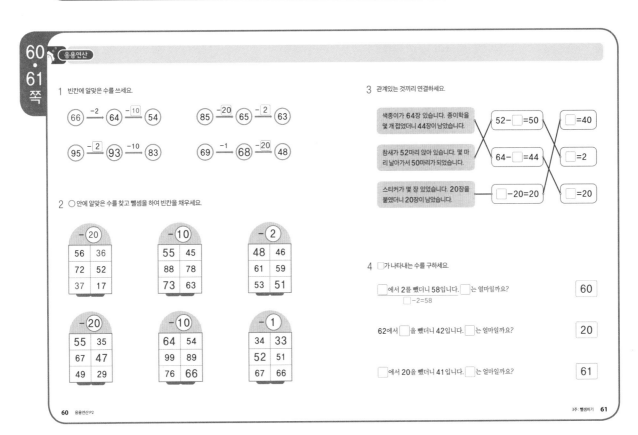

62 · 63 쪽

형성평가

1 조건에 맞게 거꾸로 뛰어 세어 빈칸에 알맞은 수를 쓰세요.

20씩 거꾸로 세기

(87)-(67)-(47)-(27)-(7)

2씩 거꾸로 세기

(53)-(51)-(49)-(47)-(45)

2 수를 배열한 규칙이 같은 것끼리 선으로 이으세요.

60 58 56 54 52

55 45 35 25 15

94 74 54 34 14

88 68 48 28 8

31 29 27 25 23

87 77 67 57 47

3 유진이는 94쪽짜리 동화책을 읽고 있습니다. 앞으로 4일 동안 매일 20쪽씩 읽는다면 몇 쪽 남을까요?

94-74-54-34-14

14 쪽

4 ●의 수보다 2 작은 수에 ○표, 20 작은 수에 □표 하고 선으로 연결하세요.

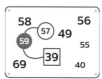

5 재승이와 민호가 열기구를 타려고 줄을 섰습니다. 재승이의 대기 번호는 53번이고, 민호의 대기 번호는 재승이보다 20 작은 수입니다. 민호의 대기 번호는 몇 번일까요?

민호의 대기 번호: 33 번

6 계산한 다음 선으로 이으세요.

88 – 20	76	84 – 2
92 – 10	82	96 – 20
78 – 2	68	78 – 10

64 쪽

7 정현이는 스티커를 63장, 진영이는 20장을 샀습니다. 정현이는 진영이보다 스티커를 몇 장 더 샀을까요?

식 63 – 20 = 43   답 43 장

8 ○안에 알맞은 수를 찾고 뺄셈을 하여 빈칸을 채우세요.

–20	
72	52
67	47
45	25

–2	
53	51
68	66
76	74

–10	
37	27
33	23
28	18

9 ☐에서 20을 뺐더니 48입니다. ☐는 얼마일까요?

68

더하기와 빼기

C 093 더하기와 빼기

개념원리 수 배열표의 빈칸에 알맞은 수를 쓰고 계산을 해 봅시다.

41		43		
		53		
61	62	⑥3	64	65
	72	73		
		83		85

63 + 1 = 64   63 − 1 = 62
63 + 2 = 65   63 − 2 = 61
63 + 10 = 73   63 − 10 = 53
63 + 20 = 83   63 − 20 = 43

	26	27		
		37		
45	46	④7	48	49
		57	58	
65		67		

47 + 1 = 48   47 − 1 = 46
47 + 2 = 49   47 − 2 = 45
47 + 10 = 57   47 − 10 = 37
47 + 20 = 67   47 − 20 = 27

	55		57	
	65			
73	74	⑦5	76	77
83		85		
		95	96	

75 + 1 = 76   75 − 1 = 74
75 + 2 = 77   75 − 2 = 73
75 + 10 = 85   75 − 10 = 65
75 + 20 = 95   75 − 20 = 55

63 + 2 = 65   82 − 20 = 62   46 + 10 = 56

59 − 20 = 39   33 + 10 = 43   74 − 1 = 73

28 + 1 = 29   92 − 2 = 90   68 + 20 = 88

89 − 10 = 79   71 + 1 = 72   53 − 2 = 51

```
   7 3          6 8          3 5
 + 2 0        −   2        + 1 0
   9 3          6 6          4 5
```

```
   8 4          5 8          7 7
 − 1 0        +   1        − 2 0
   7 4          5 9          5 7
```

응용연산

1 왼쪽은 두 수의 합, 오른쪽은 두 수의 차입니다. 두 수를 찾아 모두 ○표 하세요.

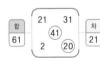

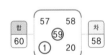

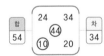

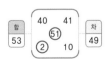

2 다음을 읽고, +과 − 중 알맞은 것에 ○표 하고, 식과 답을 완성하세요.

> 자전거 가게에 두발자전거 27대, 세발자전거 20대가 있습니다.

자전거는 모두 몇 대 있을까요?

식 27 (⊕ , −) 20 = 47   답 47 대

두발자전거는 세발자전거보다 몇 대 많을까요?

식 27 (+ , ⊖) 20 = 7   답 7 대

3 다음을 읽고, 물음에 답하세요.

> 체육관에는 야구공이 73개, 축구공이 10개 있습니다.

공은 모두 몇 개 있을까요?

식 73+10=83   답 83 개

야구공은 축구공보다 몇 개 더 많을까요?

식 73−10=63   답 63 개

70·71쪽

C 094 □가 있는 더하기와 빼기

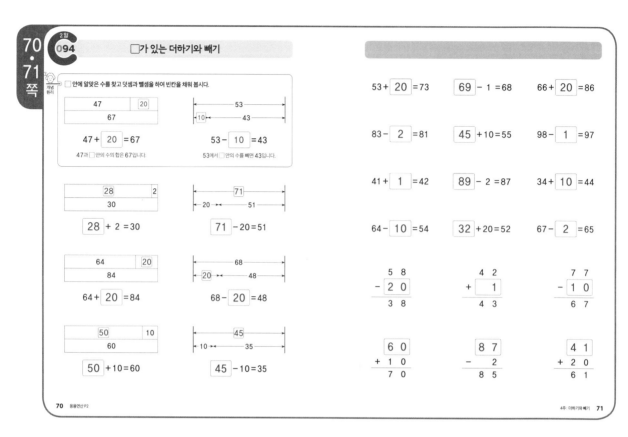

□ 안에 알맞은 수를 찾고 덧셈과 뺄셈을 하여 빈칸을 채워 봅시다.

47	20
67	

47 + 20 = 67

47과 □안의 수의 합은 67입니다.

53
10 ← → 43

53 − 10 = 43

53에서 □안의 수를 빼면 43입니다.

28	2
30	

28 + 2 = 30

71
20 ← → 51

71 − 20 = 51

64	20
84	

64 + 20 = 84

68
20 ← → 48

68 − 20 = 48

50	10
60	

50 + 10 = 60

45
10 ← → 35

45 − 10 = 35

53 + 20 = 73   69 − 1 = 68   66 + 20 = 86

83 − 2 = 81   45 + 10 = 55   98 − 1 = 97

41 + 1 = 42   89 − 2 = 87   34 + 10 = 44

64 − 10 = 54   32 + 20 = 52   67 − 2 = 65

```
  5 8        4 2        7 7
- 2 0      +   1      - 1 0
  3 8        4 3        6 7
```

```
  6 0        8 7        4 1
+ 1 0      -   2      + 2 0
  7 0        8 5        6 1
```

70 응용연산 P2

4주 · 더하기와 빼기 71

72·73쪽

응용연산

1 □ 안에 들어갈 수가 같은 것끼리 연결하세요.

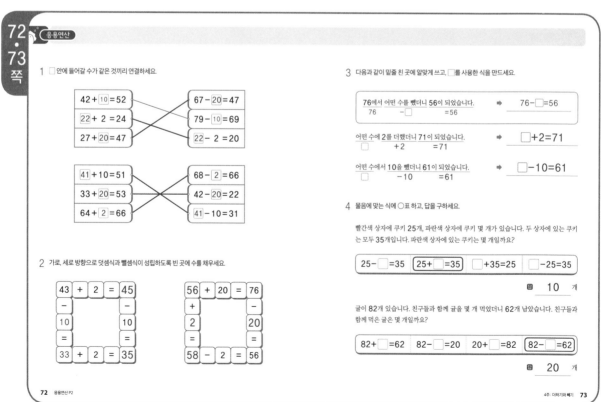

42 + 10 = 52   67 − 20 = 47
22 + 2 = 24   79 − 10 = 69
27 + 20 = 47   22 − 2 = 20

41 + 10 = 51   68 − 2 = 66
33 + 20 = 53   42 − 20 = 22
64 + 2 = 66   41 − 10 = 31

2 가로, 세로 방향으로 덧셈식과 뺄셈식이 성립하도록 빈 곳에 수를 채우세요.

```
43 + 2 = 45
 −       −
10      10
 =       =
33 + 2 = 35
```

```
56 + 20 = 76
 +       −
 2      20
 =       =
58 − 2 = 56
```

3 다음과 같이 밑줄 친 곳에 알맞게 쓰고, □를 사용한 식을 만드세요.

76에서 어떤 수를 뺐더니 56이 되었습니다.
76   □   = 56
→ 76 − □ = 56

어떤 수에 2를 더했더니 71이 되었습니다.
□   + 2   = 71
→ □ + 2 = 71

어떤 수에서 10을 뺐더니 61이 되었습니다.
□   − 10   = 61
→ □ − 10 = 61

4 물음에 맞는 식에 ○표 하고, 답을 구하세요.

빨간색 상자에 쿠키 25개, 파란색 상자에 쿠키 몇 개가 있습니다. 두 상자에 있는 쿠키는 모두 35개입니다. 파란색 상자에 있는 쿠키는 몇 개일까요?

25 − □ = 35   (25 + □ = 35)   □ + 35 = 25   □ − 25 = 35

답 10 개

귤이 82개 있습니다. 친구들과 함께 귤을 몇 개 먹었더니 62개 남았습니다. 친구들과 함께 먹은 귤은 몇 개일까요?

82 + □ = 62   82 − □ = 20   20 + □ = 82   (82 − □ = 62)

답 20 개

72 응용연산 P2

4주 · 더하기와 빼기 73

3일 C095 세 수의 계산

세 수의 계산을 해 봅시다.

$$67 - 20 + 2$$

$$\boxed{47} + 2 = \boxed{49}$$

앞의 두 수를 먼저 계산한 다음 나머지 수를 계산합니다.

$47 + 20 + 1$
$\boxed{67} + 1 = \boxed{68}$

$36 + 2 - 20$
$\boxed{38} - 20 = \boxed{18}$

$83 - 2 + 10$
$\boxed{81} + 10 = \boxed{91}$

$58 - 10 + 2$
$\boxed{48} + 2 = \boxed{50}$

$49 + 20 + 2$
$\boxed{69} + 2 = \boxed{71}$

$44 - 2 - 10$
$\boxed{42} - 10 = \boxed{32}$

$82 + 2 - 10$
$\boxed{84} - 10 = \boxed{74}$

$50 + 20 - 1$
$\boxed{70} - 1 = \boxed{69}$

$31 + 20 + 2 = \boxed{53}$

$61 - 2 + 20 = \boxed{79}$

$55 + 1 - 20 = \boxed{36}$

$82 - 20 - 2 = \boxed{60}$

$73 - 10 + 2 = \boxed{65}$

$47 - 2 + 20 = \boxed{65}$

$44 + 20 - 10 = \boxed{54}$

$61 + 20 - 1 = \boxed{80}$

$63 - 2 - 20 = \boxed{41}$

$75 - 2 + 10 = \boxed{83}$

$56 + 10 - 2 = \boxed{64}$

$42 + 20 - 10 = \boxed{52}$

$71 - 2 - 20 = \boxed{49}$

$53 + 20 + 10 = \boxed{83}$

$46 + 20 - 2 = \boxed{64}$

$62 - 2 + 20 = \boxed{80}$

응용연산

1 사다리를 타고 내려가는 길의 계산에 맞게 빈칸에 알맞은 수를 쓰세요.

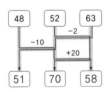

$\boxed{48}$ $\boxed{52}$ $\boxed{63}$

-10 -2 $+20$

$\boxed{51}$ $\boxed{70}$ $\boxed{58}$

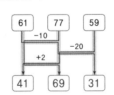

$\boxed{61}$ $\boxed{77}$ $\boxed{59}$

-10 -20 $+2$

$\boxed{41}$ $\boxed{69}$ $\boxed{31}$

2 계산 결과에 맞게 길을 그리세요.

44 — $+1$ / -2 — $+10$ / -20 — 22

64 — $+1$ / -2 — $+10$ / -20 — 72

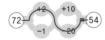

72 — $+2$ / -1 — $+10$ / -20 — 54

53 — $+1$ / -2 — $+20$ / -10 — 74

3 혜민이는 사탕을 63개 가지고 있습니다. 민주에게 10개를 주었습니다. 소희에게 20개를 주었습니다. 혜민이에게 남은 사탕은 몇 개일까요?

식 63 ⊖ 10 ⊖ $20 = \boxed{33}$　답 $\boxed{33}$ 개

4 병호는 구슬을 45개 가지고 있습니다. 구슬 2개를 철호에게 주고, 20개를 민호에게 받았습니다. 병호가 가지고 있는 구슬은 몇 개일까요?

식 45 ⊖ 2 ⊕ $20 = \boxed{63}$　답 $\boxed{63}$ 개

5 기차에 59명이 타고 있었습니다. 어느 역에서 2명이 타고 10명이 내렸을 때 기차 안에 있는 사람은 모두 몇 명일까요?

식 $59 + 2 - 10 = 51$　답 51 명

6 현수는 풍선을 47개 가지고 있었습니다. 친구에게 20개를 주고, 동생에게 1개를 주었습니다. 남은 풍선은 몇 개일까요?

식 $47 - 20 - 1 = 26$　답 26 개

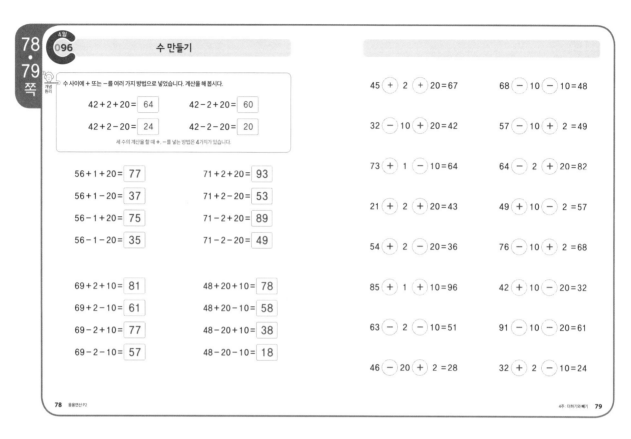

78·79쪽

C 096 4일   수 만들기

개념원리
수 사이에 + 또는 −를 여러 가지 방법으로 넣었습니다. 계산을 해 봅시다.

42 + 2 + 20 = 64   42 − 2 + 20 = 60
42 + 2 − 20 = 24   42 − 2 − 20 = 20

세 수의 계산을 할 때 +, −를 넣는 방법은 4가지가 있습니다.

56 + 1 + 20 = 77   71 + 2 + 20 = 93
56 + 1 − 20 = 37   71 + 2 − 20 = 53
56 − 1 + 20 = 75   71 − 2 + 20 = 89
56 − 1 − 20 = 35   71 − 2 − 20 = 49

69 + 2 + 10 = 81   48 + 20 + 10 = 78
69 + 2 − 10 = 61   48 + 20 − 10 = 58
69 − 2 + 10 = 77   48 − 20 + 10 = 38
69 − 2 − 10 = 57   48 − 20 − 10 = 18

45 (+) 2 (+) 20 = 67   68 (−) 10 (−) 10 = 48

32 (−) 10 (+) 20 = 42   57 (−) 10 (+) 2 = 49

73 (+) 1 (−) 10 = 64   64 (−) 2 (+) 20 = 82

21 (+) 2 (+) 20 = 43   49 (+) 10 (−) 2 = 57

54 (+) 2 (−) 20 = 36   76 (−) 10 (+) 2 = 68

85 (+) 1 (+) 10 = 96   42 (+) 10 (−) 20 = 32

63 (−) 2 (−) 10 = 51   91 (−) 10 (−) 20 = 61

46 (−) 20 (+) 2 = 28   32 (+) 2 (−) 10 = 24

80·81쪽

응용연산

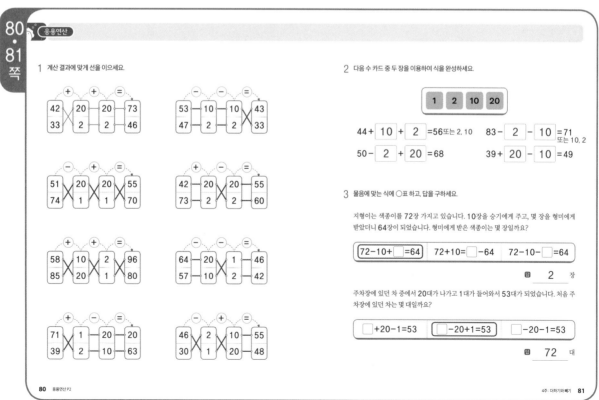

1 계산 결과에 맞게 선을 이으세요.

2 다음 수 카드 중 두 장을 이용하여 식을 완성하세요.

[1 | 2 | 10 | 20]

44 + 10 + 2 = 56 또는 2, 10   83 − 2 − 10 = 71 또는 10, 2

50 − 2 + 20 = 68   39 + 20 − 10 = 49

3 물음에 맞는 식에 ○표 하고, 답을 구하세요.

지형이는 색종이를 72장 가지고 있습니다. 10장을 승기에게 주고, 몇 장을 형미에게
받았더니 64장이 되었습니다. 형미에게 받은 색종이는 몇 장일까요?

(72−10+☐=64)   72+10=☐−64   72−10−☐=64

답 2 장

주차장에 있던 차 중에 20대가 나가고 1대가 들어와서 53대가 되었습니다. 처음 주
차장에 있던 차는 몇 대일까요?

☐+20−1=53   (☐−20+1=53)   ☐−20−1=53

답 72 대

 형성평가

1 왼쪽은 두 수의 합, 오른쪽은 두 수의 차입니다. 두 수를 찾아 모두 ○표 하세요.

합			차
55	㉒45 55	65	35
	㉑10 20		

3 □안에 들어갈 수가 같은 것끼리 연결하세요.

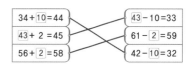

34 + 10 = 44
43 + 2 = 45
56 + 2 = 58

43 − 10 = 33
61 − 2 = 59
42 − 10 = 32

2 다음을 보고, 물음에 답하세요.

귤이 66개, 복숭아가 20개 있습니다.

과일은 모두 몇 개 있을까요?

식 66+20=86   답 86 개

귤은 복숭아보다 몇 개 더 많을까요?

식 66−20=46   답 46 개

4 울타리 안에 양 35마리가 풀을 뜯고 있습니다. 20마리가 울타리 안으로 더 들어오고, 2마리가 울타리 밖으로 나갔습니다. 울타리 안에 있는 양은 몇 마리일까요?

식 35+20−2=53   답 53 마리

5 ○안에 + 또는 −를 채우세요.

48 − 2 + 20 = 66

71 + 2 + 10 = 83

60 − 1 − 20 = 39

54 + 20 − 10 = 64

84쪽

6 계산 결과에 맞게 선을 이으세요.

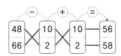

(−) (+) (=)

48	10	10	56
66	2	2	58

7 물음에 맞는 식에 ○표 하고, 답을 구하세요.

사탕이 74개 있습니다. 친구들과 함께 사탕을 몇 개 먹었더니 54개가 남았습니다. 친구들과 먹은 사탕은 몇 개일까요?

74+□=54   74−□=54   20+□=74

답 20 개

재승이는 스티커를 67장 가지고 있었습니다. 동생에게 20장을 주고, 누나에게 몇 장을 받았더니 57장이 되었습니다. 누나에게 받은 스티커는 몇 장일까요?

67−20−□=57   67+20=□−57   67−20+□=57

답 10 장

"

Numbers rule the universe.

"

"수가 우주를 지배한다"

Pythagoras, 피타고라스